ELIZABETH
GEORGE
Bela
aos olhos de Deus
Os tesouros da mulher
de Provérbios 31

CB038533

UNITED PRESS
UM SELO EDITORIAL HAGNOS

Título original: *Beautiful in God's Eyes.*
Publicado pela Harvest House Publishing (Eugene, Oregon, EUA).

2ª edição: 2003
16ª reimpreesão: abril de 2025

Tradução: Maria Emília de Oliveira
Revisão: Liege Maria S. Marucci, Josemar de Souza Pinto e João Guimarães
Capa: Douglas Lucas
Diagramação: B. J. Carvalho
Editor: Aldo Menezes
Coordenador de produção: Mauro Terrengui
Impressão e acabamento: Imprensa da Fé

EDITORA HAGNOS LTDA.
Rua Geraldo Flausino Gomes, 42, conj. 41
CEP 04575-060 — São Paulo, SP
Tel.: (11) 5990-3308

E-mail: editorial@hagnos.com.br | Home page: www.hagnos.com.br

Editora associada à ABDR - Associação Brasileira de Direitos Reprográficos

Dados Internacionais de Catalogação na Publicação (CIP)
Câmara Brasileira do Livro, SP, Brasil

George, Elizabeth -

Bela aos olhos de Deus: os tesouros da mulher de Provérbios 31 / Elizabeth George; [tradução: Maria Emília de Oliveira]. 2ª ed. — São Paulo: Hagnos, 2003.

Título original: Beautiful in God's Eyes

ISBN 85-243-0275-5

1. Beleza feminina - Aspectos religiosos - Cristianismo 2. Bíblia AT - Provérbios - Crítica e interpretação 3. Deus - Beleza 4. Espiritualidade 5. mulheres - Conduta de Vida I. Título

02-5710 CDD-223.706

Índices para catálogo sistemático:
1. Mulheres: guias de vida cristã: cristianismo 248.843

Em memória da querida Lois George Onesti

Mãe piedosa de meu marido, Jim,
minha bondosa sogra,
avó carinhosa de nossas filhas,
Katherine e Courtney.

Sua fiel obediência nos levou a conhecer o ideal de Deus –
uma mulher bela aos olhos dele.

Levantam-se seus filhos, e lhe chamam ditosa...

Provérbios 31.28

Agradecimentos

Meus sinceros agradecimentos a estas pessoas consagradas que foram muito importantes para a minha vida e que contribuíram grandemente para que este livro fosse escrito:

- Dr. John MacArthur, meu pastor na Igreja Comunidade da Graça, pelos 25 anos de ensinamentos semanais
- Sra. Patricia MacArthur, esposa de meu pastor, por ter vivido fielmente as palavras contidas neste livro durante aqueles 25 anos
- Professores do The Master's Seminary e suas respectivas esposas, pelo constante incentivo
- Professor Bill Schlegel, Israel Bible Extension Study Course (IBEX), The Master's College, Jerusalém, Israel
- Dr. Eugene Merrill, Seminário Teológico de Dallas
- Sra. Colleen Craigen, bibliotecária do The Master's Seminary
- Dr. James Rosscup, The Master's Seminary
- Sr. Steve Miller, editor-chefe, Harvest House Publishers
- Professor Jim George, The Master's Seminary, meu marido e amigo

Sumário

Um Convite à Beleza

Dezenove de outubro de 1974. Essa é a data escrita em minha Bíblia na primeira página do livro de Provérbios. Quando eu era recém-convertida, participei de um seminário e fui desafiada pelo palestrante a começar a ler um capítulo de Provérbios por dia, especificamente o capítulo que se referia ao dia do mês. Aceitei o desafio!

Isso aconteceu há 25 anos, e Deus usou essa prática tão simples para modificar minha vida. Ler Provérbios quase todos os dias durante cinco minutos ao longo de um quarto de século desenvolveu em mim um amor verdadeiro pelo livro de Provérbios. Sinto-me especialmente fascinada pela mulher citada em Provérbios 31, que serve de exemplo para todas nós que somos belas aos olhos de Deus.

Desde que li pela primeira vez a descrição dessa mulher de Provérbios 31, tento modelar minha vida de acordo com a dela. Procuro viver de acordo com os padrões que Deus nos apresenta por intermédio dela. Estudando as diretrizes que suas ações e atitudes sugerem, busco segui-las para manter meu casamento, edificar minha casa (Provérbios 14.1), educar meus filhos e desenvolver força de caráter. Nela, tenho encontrado esclarecimento, incentivo, exemplo e motivação para trabalhar a vida inteira!

Agora, quando comemoro 25 anos de vida cristã, parece ser o momento apropriado para repartir com vocês algumas lições que a mulher de Provérbios 31 me ensinou a respeito da beleza que Deus requer de nós.

Estou muito feliz por você querer galgar comigo as alturas dessa beleza cheia de devoção. Analisaremos *versículo por versículo* de Provérbios 31.10-31, extraindo o máximo possível de cada detalhe que encontrarmos a respeito dessa mulher bela aos olhos de Deus. No final do livro, há um *guia de estudo* para reflexões e aplicações na vida pessoal (ou em grupo), e no final de cada capítulo você encontrará uma seção intitulada Como Ser Bela, que apresenta sugestões práticas para viver, no dia-a-dia, as verdades contidas em Provérbios 31.

Enquanto você e eu pensamos na maneira de viver essas verdades, devo lembrar-lhe que, sozinhas, não podemos ser o que Deus deseja de nós. Não podemos nos transformar na mulher de Provérbios 31 simplesmente lendo a respeito dela ou querendo ser iguais a ela. Conforme eu disse antes, busco modelar minha vida de acordo com a mulher de Provérbios 31. Estudo o que encontro sobre a vida dela e esforço-me para desenvolver seu caráter firme. Porém, todos os meus progressos até agora para viver de acordo com os padrões daquela mulher foram conseguidos pela obra misericordiosa de nosso Deus. Procuro fazer minha parte – e convido você, leitora, a fazer a sua. Para tanto, é preciso agir da forma certa e evitar tudo o que é inútil. Por isso incluí em cada capítulo uma seção intitulada Um Convite à Beleza, uma oportunidade para você olhar bem nos olhos de Deus, vasculhar seu coração e encontrar a beleza que Ele deseja para sua vida!

Agora que vamos começar a caminhar juntas, quero que você, querida amiga, conheça qual é minha oração por você. Oro para que você:

- Permita que Deus use este livro para lhe ensinar qual é o tipo de beleza que Ele tem em mente a fim de transformar seu coração e sua vida.
- Compartilhe a descrição de beleza contida em Provérbios 31 com suas filhas e seus filhos – e com qualquer outra pessoa que se interesse pelo assunto.
- Deseje, de todo o coração, tornar-se semelhante à mulher de Provérbios 31 – uma mulher bela aos olhos de Deus!

Que um grande número de pessoas possa dizer a seu respeito: "Muitas mulheres procedem virtuosamente, mas tu a todas sobrepujas" (Provérbios 31.29)!

No lindo amor de Deus,
– *Elizabeth George*
Granada Hills, Califórnia

1
Um Tesouro Raro

Seu Caráter

"Mulher virtuosa, quem a achará?"

Provérbios 31.10

Você já sentiu medo ao ter de enfrentar, de repente, um enorme desafio? Eu passei por uma situação assim quando o ônibus de turismo em que viajávamos entrou no estacionamento do hotel localizado na base de uma gigantesca fortaleza natural chamada Masada. Projetando-se na praia do Mar Morto, essas fortificações construídas por Herodes, o Grande, elevavam-se a quase 400 metros acima de nós. Suas sombras escuras e tenebrosas começavam a nos envolver, quando o guia recomendou que tivéssemos uma boa noite de sono para podermos escalar, às sete horas do dia seguinte, aquela maravilha da antigüidade.

Tive a sensação de estar em pé na base do Monte Everest! *O que estou fazendo aqui?*, pensei. *Como isso aconteceu? Sou apenas uma esposa submissa que veio à Terra Santa acompanhando o marido para estudar a Bíblia! Nunca considerei essa hipótese!* Mas agora eu tinha de subir aquela montanha íngreme com o restante do grupo (muito mais jovem do que eu)!

Antes de mais nada, minha nova amiga, preciso admitir que volto a ter essa mesma sensação no momento em que você e eu nos encontramos no início deste livro sobre como ser bela aos olhos de Deus, ao dirigir o olhar para *ela* – a bela (e bem-sucedida, maravilhosa, perfeita) mulher de Provérbios 31. Por certo, ela aparenta ser maior que a vida. Está "lá longe", tão distante, tão acima de nós, tão bela, tão superior, tão impossível de existir. Ou assim parece...

Mas espere um pouco! Deixe-me terminar a história sobre Masada. Fiz uma refeição leve no jantar e fui dormir cedo, obedecendo às instruções do guia. Porém, passei a noite inteira preocupada. Seria melhor comer ou ficar em jejum antes de uma escalada tão penosa? Eu deveria usar calça *jeans* ou bermuda? Quanta água deveria carregar?... Meus pensamentos e temores consumiram-me o tempo todo. Definitivamente, não tive uma boa noite de sono conforme recomendado!

Finalmente, amanheceu. O relógio marcava 6h30 – hora de agir. Vesti-me rapidamente (de bermuda por causa do forte calor), peguei uma garrafa grande de água (não comi nada), abri a porta de nosso quarto, fiz o percurso a pé – e escalei Masada! Eu não queria, mas escalei. Não foi fácil. Parei para descansar algumas vezes – muitas vezes! Meus pulmões e minhas pernas doíam. As pessoas passavam por mim enquanto eu me esforçava o mais que podia. Mas consegui! Buscando os últimos recursos de minhas forças mental e física e persistindo em pôr um pé na frente do outro – dando um passo atrás do outro – consegui chegar ao topo do mundo! (Só fui descobrir tempos depois que o "topo do mundo" [o melhor lugar do mundo] fica no nível do mar!). Fiz o que parecia impossível – e aquela façanha foi uma glória para mim!

Agora, minha querida amiga alpinista, você e eu estamos frente a frente com a incrível mulher de Provérbios 31! Assim como eu lutei contra minha falta de disposição para escalar uma montanha, talvez você esteja lutando contra o desejo de *querer* ser igual a ela. Talvez você tenha vacilado e desistido ao imaginar o preço de tal esforço, sentindo que ele exigiria muito de você. Talvez tenha sofrido ao ver outras mulheres passando à sua frente por serem mais semelhantes a ela.

Sejam quais forem seus sentimentos, sejam quais forem suas experiências antigas com o desafio de Provérbios 31, eu a convido a caminhar comigo. Vamos aceitar o convite de Deus para sermos belas aos olhos dele e escalar essa montanha de mãos dadas, caso seja necessário. Ao longo do caminho, vamos nos abastecer do poder misericordioso do Senhor e da determinação de seu Espírito para nos tornarmos tudo o que Deus quer que sejamos – dando um passo por vez. Afinal de contas, a mulher de Provérbios 31 *é* a "mulher virtuosa" (Provérbios 31.10). Se pusermos em prática uma virtude por vez, um versículo por vez, você e eu chegaremos a ter aquela rara beleza e, pela graça de Deus, compreender seu significado. Ore comigo agora e peça a Deus que a proteja do temor de alcançar as alturas do padrão de beleza do Senhor para nós, de desprezar a excepcional beleza dessa mulher, de desconsiderar suas virtudes ou de tachá-la de antiquada ou de mito inatingível. Que o desejo de Deus para sua vida coincida com o que você tem em relação a si mesma!

Um alfabeto de caráter

Você deve estar se perguntando de onde veio essa mulher. Como a mulher de Provérbios 31 passou a ser um padrão de beleza aos olhos de Deus? Acredite ou não, ela era uma mulher de carne e osso!

Era uma vez, um jovem príncipe que queria ser rei, mas ele ainda tinha muitas lições a aprender. Sua mãe costumava sentar-se com ele ao lado da lareira para ensinar-lhe não só a ser um rei bondoso, mas também a encontrar uma excelente esposa.

A maioria dos estudiosos concorda que Provérbios 31 retrata os conselhos daquela mãe sábia a seu filho. O versículo 1 diz: "Palavras do rei Lemuel [...] as quais lhe ensinou sua mãe." Nos versículos 1-9, ela fala dos elementos básicos de liderança e descreve, nos versículos 10-31, a esposa que ele deve procurar, aquela que é um raro tesouro. Talvez, em razão da idade do filho, a sábia mãe tenha organizado uma lista das qualidades que ele deveria encontrar em uma esposa de acordo com as letras do alfabeto hebraico. Ensinado dessa maneira, o alfabeto do caráter poderia ser aprendido com rapidez, memorizado com facilidade, repetido com regularidade e gravado permanentemente nas tábuas do coração de seu filho (Provérbios 3.3). Quando a mãe chegou à última letra do alfabeto e terminou de exaltar as qualidades de uma mulher virtuosa, esse poema lírico de louvor passou a ser para aquele jovem príncipe – e para nós – o alfabeto de Deus do caráter feminino.

À medida que você e eu começamos a aprender esse alfabeto, quero que nos lembremos de duas palavras de esperança. Primeira, o texto de Provérbios 31 foi proferido por uma mulher. Não são palavras ou instruções vindas de um homem expressando uma fantasia pessoal e irreal. Por certo, um homem (o rei Lemuel) registrou o texto para nós, mas ele repete a opinião de uma *mulher* sobre como uma mulher deve ser! Esse fato enche-me de inspiração e coragem. Gosto desse tipo de orientação de mulher para mulher, e aprendo mais sobre o que Deus considera lindo. Quero compreender a essência da formosura verdadeiramente piedosa, e quem melhor para me apresentar isso do que uma mulher bela aos olhos de Deus?

Segunda, embora essa mãe inicie seu alfabeto com uma pergunta – "Mulher virtuosa, quem a achará?" (Provérbios 31.10) –, ela espera que seu filho encontre uma esposa com esse caráter. Na antiga Jerusalém, quando um homem se casava, as outras pessoas perguntavam: "Ele encontrou uma mulher virtuosa?"[1]

Sabendo que essa mulher existe (versículo 29), ela incentiva o filho a procurá-la. A confiança da mãe de que tal mulher existe transmite-me coragem. Ora, a mulher de Provérbios 31 é real! Assim, você e eu não precisamos apenas admirá-la, mas podemos *ser* essa mulher! Talvez ela pareça inatingível, um ideal que não podemos alcançar, mas isso não é verdade. Deus teve o cuidado de apresentá-la a nós em outros textos da Bíblia: Ele nos mostra Rute, uma "mulher virtuosa" (Rute 3.11); Ele nos diz que "a mulher virtuosa é [observe o tempo presente do verbo] a coroa do seu marido" (Provérbios 12.4); e Ele afirma que "*muitas* mulheres procedem virtuosamente" (Provérbios 31.29, grifo meu). Muitas!

Sim, a mulher virtuosa é um tesouro raro – um tesouro distinto, excepcional, extraordinário, insuperável –, mas, de acordo com Deus, o Autor de toda formosura, você e eu podemos ser tudo aquilo que ela é. Você e eu podemos ser belas aos olhos de Deus!

Um retrato de beleza

Já que o título deste livro é *Bela aos Olhos de Deus*, eu gostaria de esclarecer desde já que a idéia de Deus a respeito da beleza é, provavelmente, muito diferente daquilo que eu e você consideramos belo. (E com certeza a idéia que Ele tem da beleza é muito diferente da que o mundo tem!) No decorrer da leitura, tenha em mente que Provérbios 31.10-31 apresenta um retrato do que Deus pensa a respeito da beleza feminina. E, conforme Ele diz a respeito de si mesmo, "[...] os meus pensamentos não são os vossos pensamentos, nem os vossos caminhos os meus caminhos [...] os meus caminhos [são] mais altos do que os vossos caminhos, e os meus pensamentos mais altos do que os vossos pensamentos" (Isaías 55.8-9). Deus existe em um patamar superior ao nosso, assim também acontece com sua idéia a respeito da beleza!

Compreender o tipo de beleza que Deus requer de uma mulher foi o Primeiro Passo para o jovem príncipe Lemuel, e também é o Primeiro Passo para você e para mim. (Lembra-se de Masada? Foi escalada um passo por vez!) Portanto, em primeiro lugar precisamos compreender o significado da palavra *virtuosa*: "Mulher virtuosa, quem a achará?" (Provérbios 31.10). O significado da palavra *virtuosa* pode ser comparado aos dois lados de uma moeda. O *poder da mente* (princípios morais e atitudes) forma a imagem de um lado, e o *poder do corpo* (vigor e eficiência) forma o outro. Nenhuma dessas características parece muito bela, mas considere como Deus as menciona em seu retrato de beleza descrito em Provérbios 31.

> *Poder da mente* – No retrato dessa bela mulher, Deus mostra sua força mental por meio de um conjunto de qualidades intrínsecas que a impede (e que nos impedirá) de desistir, de ceder, de abandonar ou de não alcançar o alvo que Deus deseja para ela. Por ora, veja aqui um quadro de Provérbios 31.10-31 observado a distância. Analisaremos com mais atenção cada característica à medida que avançarmos na leitura deste livro e na escalada de nossa montanha. A mulher bela aos olhos de Deus é:

- Pura – Ela é uma mulher virtuosa (Provérbios 31.10).
- Honesta – Seu marido confia nela (vv. 11-12).
- Diligente – Ela trabalha desde o alvorecer até o anoitecer administrando seus interesses e expandindo seus negócios (vv. 13-19, 21-22, 24, 27, 31).
- Parcimoniosa – Sua habilidade para lidar com as finanças a capacita a cuidar de seu lar e a expandir sua propriedade (vv. 14,16).
- Forte no caráter – Ela enfrenta os desafios diários da vida (e da morte!) com intrépida coragem (vv. 25,29).

- Bondosa – Compaixão pelos necessitados é o ponto alto de sua vida, e de seus lábios brotam palavras meigas (vv. 20,26).
- Sábia – Sua vida é pautada pela sabedoria (v. 26).
- Consagrada – Ela ama o Senhor de todo o coração (v. 30).

Essas qualidades intrínsecas capacitam a bela mulher de Deus a administrar sua vida, seu tempo, seu dinheiro, sua boca, seu lar, seus relacionamentos e seu "eu".

Poder do corpo – E como, podemos perguntar, a mulher de Provérbios 31 consegue *fazer* tudo o que Deus deseja dela? Quando viramos a "moeda da definição", vemos claramente que esse tipo de vida exige energia física e vigor. Observe a beleza – e a força – da mulher de Provérbios 31 em ação:

- Ela trabalha diligentemente com as mãos (Provérbios 31.13).
- Suas mãos diligentes plantam uma vinha (v. 16).
- Também manejam o fuso e a roca (v. 19).
- Ela trabalha desde a madrugada (v. 15) até a noite (v. 18).
- Estende a mão ao necessitado (v. 20).
- Tece roupas para a família (v. 21), para o lar (v. 22), para si própria (v. 22) e para serem vendidas (v. 24).
- Não é preguiçosa e cuida do bom andamento do lar (v. 27).

Essa mulher virtuosa e diligente necessita de força física e de habilidade para executar o trabalho de sua vida, o trabalho de amor.

Um exército de virtudes

E agora, querida leitora, depois de termos considerado a força moral e física dessa mulher especial, devemos analisar um elemento decisivo e crucial para compreendermos o que significa ser uma mulher virtuosa. Sei que essa palavra não lembra nada muito atraente, feminino nem belo, mas ela tem o poder de um exército – um exército de virtudes! Essa é a essência da descrição de Deus a respeito de seu caráter. Deixe-me explicar.

A palavra hebraica que designa *virtuoso* é usada mais de 200 vezes na Bíblia para descrever um exército. No Antigo Testamento, essa palavra refere-se a *uma força* e é usada para significar *apto*, *capaz*, *vigoroso*, *forte*, *heróico*, *poderoso*, *eficiente*, *opulento* e *notável*.[2] A palavra também é usada para referir-se a um homem de guerra, a vários homens de guerra e a homens preparados para a guerra. Mude essa palavra para o feminino e você começará a compreender o poder que existe no íntimo dessa mulher! Assim como a força mental e a energia física são características determinantes de um exército, elas também definem a bela mulher de Deus.

Sei que esse assunto é muito extenso para ser assimilado, e talvez você queira ler novamente esta parte importante do livro. À medida que você e eu fixamos o olhar na admirável mulher de Provérbios 31, precisamos entender da melhor forma possível o que Deus quer dizer quando a descreve como uma mulher virtuosa. Afinal, compreender o caráter dessa mulher – o objetivo deste capítulo – é nosso primeiro passo para nos tornarmos a mulher virtuosa de Provérbios 31!

"Mulher virtuosa, quem a achará?" é a pergunta de Provérbios 31.10. Com essa indagação, Deus nos mostra que essa mulher é extraordinária – na verdade, um tesouro raro – no que se refere à sua força interior e a suas realizações práticas. Ela também é um exército absoluto e admirável de virtudes. Com a ajuda de

Deus, você e eu também poderemos nos tornar admiráveis! Aqui estão alguns passos iniciais.

Como ser bela

1. Cultive o desejo de ser bela – Com base na oração de Moisés no Salmo 90.10 ("Os dias da nossa vida sobem a setenta anos, ou, em havendo vigor, a oitenta..."), imagine-se sentada confortavelmente em uma cadeira no dia de seu 80º aniversário! Um grupo grande de pessoas reuniu-se para comemorar com você, homenageando-a com uma festa especial. De repente, um rufar de tambores anuncia a chegada do bolo de aniversário. Quando o bolo aparece sendo empurrado em cima de um carrinho, você se maravilha ao ver como ele é grande! Tem de ser grande para poder acomodar 80 velinhas em cima. Todas estão acesas. E, ao sentir o calor das chamas, você se arrepende de ter vestido uma blusa de lã!

Agora vem o desafio: Se o Senhor permitir que você viva para comemorar uma festa de aniversário como essa, o que você gostaria de ter realizado na vida no instante em que assoprar as velinhas que representam 80 anos de vida?

Minha amiga, neste exato momento, estou orando para que sua resposta a esta pergunta crucial indique um desejo sincero de ser uma mulher de caráter, uma mulher que seja bela aos olhos de Deus!

2. Dê tempo ao tempo – Como a bela mulher aos olhos de Deus tornou-se esse tesouro raro, excepcional e extraordinário, uma pessoa de caráter forte e piedoso? Em uma palavra, levou um bocado de *tempo*! Coisas grandiosas não acontecem do dia para a noite; coisas grandiosas não acontecem por acaso! Que tempo é esse tão necessário para que a mulher se torne virtuosa?

Tempo lendo a Palavra de Deus – Reserve um tempo todos os dias para ler a Palavra de Deus e faça disso uma prioridade. Talvez esta história a ajude a compreender por que a leitura da Bíblia desenvolve a beleza.

Quando eu estive em Israel, um país exportador de diamantes em larga escala, aprendi que uma das etapas do processo da produção de diamantes é polir a pedra preciosa. O diamante só é comercializado depois que a pessoa responsável por seu polimento possa ver a imagem do próprio rosto refletida na jóia.

Bem, querida leitora, você é um diamante em estado bruto. Você adquire força de caráter – começa a refletir mais claramente a imagem do rosto de seu Pai celestial – à medida que sua Palavra Santa vai alisando e polindo seu caráter. Enquanto você se concentra na leitura da Palavra de Deus, a luz da verdade nela contida ilumina sua mente, e você passa a viver para glorificá-lo. Quando você lê a Palavra de Deus, Ele usa as Sagradas Escrituras para eliminar e levar embora seus temores, sua indolência, suas dúvidas e seus pecados. Deus utiliza as Sagradas Escrituras para transformá-la em uma mulher de poder divino que reflete a beleza dele de maneira cada vez mais brilhante.

Tempo memorizando a Palavra de Deus – Além de ler a Palavra de Deus diariamente, estabeleça um plano para memorizar as Sagradas Escrituras. Eu me dedico a essa tarefa enquanto faço minha caminhada diária. O exercício, é claro, contribui para melhorar o meu porte físico (e até mesmo para melhorar minha beleza física pelo fato de livrar-me de alguns quilinhos extras!), mas os versículos bíblicos que memorizo *enquanto* eu caminho me dão a força mental e espiritual de que necessito para "escalar" a montanha do padrão de beleza de Deus – para mais um dia.

Tempo com outras mulheres – Conviva com mulheres que estimulem seu crescimento espiritual (Tito 2.3). Sei, por experiência própria, quanto é importante nos relacionarmos com nossas irmãs em Cristo. Deus abençoou-me com "cinco irmãs fervorosas", cinco mulheres que estão se esforçando diligentemente para passar seus 80 anos de vida (se o Senhor assim o permitir!) como belas mulheres de Deus. Estamos empenhadas em amar, incentivar e orar umas pelas outras ao longo de nossa jornada. A convivência com essas mulheres que se comprazem em viver para Deus desperta em meu coração o desejo de ser uma bela mulher de caráter.

Tempo lendo biografias de mulheres consagradas a Deus – Inicie um programa de leitura – mesmo que seja de cinco minutos por dia. Descobri que o tempo dedicado a conhecer grandes mulheres de fé é muito bem utilizado. Ao ser tocada pela vida de um "exército" de mulheres consagradas a Deus, eu recebo nova dose de energia à medida que analiso a força física e a persistência mental de cada uma delas.

- Amy Carmichael foi uma missionária na Índia que nunca tirou férias nem licença durante 55 anos de trabalho nesse ministério.
- Susanna Wesley foi mãe de 19 filhos (dez dos quais morreram antes de completar dois anos); ela ensinou e educou seus filhos (inclusive John e Charles Wesley, fundadores do movimento metodista) e, ao mesmo tempo, dirigiu a fazenda da família durante a prisão de seu marido e sofreu perseguição religiosa por parte dos vizinhos.
- Elisabeth Elliot trabalhou na selva como missionária. Seu primeiro marido foi martirizado; o segundo, morreu de câncer, e ela teve de criar sua filha sozinha.
- Edith Schaeffer renunciou a uma vida de conforto para desenvolver um ministério na Europa com seu marido Francis. Em L'Abri, ela sofreu perseguição local, terríveis avalanches, falta de atendimento médico para um filho com poliomielite e outro com problemas de reumatismo

cardíaco, e, posteriormente, a morte do marido após ele ter lutado cinco anos contra o câncer.

- Ruth Graham cuidou fielmente de cinco filhos enquanto o pai deles – seu marido Billy – servia ao Senhor longe de casa durante vários meses por ano.

A lista das belas mulheres de Deus é extensa, e você e eu podemos extrair força do exemplo de cada uma delas.

Tempo hoje – Dedique a Deus o restante do dia de hoje (e os próximos de sua vida!) e viva-o como Ele deseja. "Tanto agora como depois", conforme diz um sábio ditado. Se quisermos ser uma bela mulher de Deus naquela festa de 80 anos – ou em qualquer outra ocasião –, vamos ser essa mulher hoje mesmo! Afinal, o amanhã é feito de hoje. Essa verdade está por trás da súplica de Moisés a Deus: "Ensina-nos a contar os nossos dias, para que alcancemos coração sábio" (Salmo 90.12). Ora, à medida que tentamos viver o dia de hoje conforme *Deus* deseja que vivamos, e à medida que desenvolvemos as qualidades de caráter que *Ele* diz que são belas, seremos belas e sábias hoje – e, nas mãos de Deus, o amanhã cuidará de si mesmo.

Tempo durante a vida inteira – Você e eu não precisamos nos sentir desanimadas ou abatidas por causa do padrão de beleza apresentado por Deus, porque Ele nos dá, dia após dia, uma vida inteira para alcançá-lo. Ouça o que a bela e sábia Edith Schaeffer diz a respeito da mulher de Provérbios 31: "Certamente todas as coisas admiráveis escritas sobre essa mulher não ocorreram no período de um ano. Para mim, é um resumo da grande diversidade de realizações e de resultados de seu trabalho, imaginação e talentos ao longo de muito tempo."[3]

Um convite à beleza

Ufa! Eu me sinto como se já tivesse escalado uma montanha só ao tentar descrever a mulher bela de acordo com a idéia de Deus. Talvez você também sinta o mesmo depois de tentar absorver toda a riqueza do retrato dessa mulher.

Estou também um pouco insegura (quero mesmo fazer isso?), temerosa (e se eu fracassar?) e bem consciente (será uma árdua escalada!). Há momentos em que eu me pergunto: "Que diferença fará se eu tentar ter uma vida virtuosa?" Mas esse pensamento deixa de existir quando você e eu nos lembramos de que a descrição dessa mulher especial está na Palavra de Deus: ela é o retrato de *Deus* e reflete a idéia de *Deus* sobre a beleza e o ideal de *Deus* para o padrão de excelência. *Deus* conhece o valor do trabalho que Ele nos deu e o que é necessário para realizá-lo, tanto do ponto de vista mental como físico. Talvez estejamos começando a entender por que essa mulher forte é "um tesouro raro!"

Que tal murmurarmos juntas uma oração a Deus suplicando força – a força *dele*? Que tal declarar comigo o seu desejo de tornar-se uma mulher que, semelhante a um exército, avança enfrentando os desafios e os deveres da vida com vigor, coragem, valentia, determinação, perseverança e poder – o poder *dele*? Sei que você deseja o mesmo que eu – ser uma mulher bela aos olhos de Deus, alegrar-se com sua aprovação, com suas palavras registradas em Mateus 25.21 sobre o servo bom e fiel, com seu reconhecimento de que *você* é uma mulher virtuosa (Rute 3.11, grifo meu).

2

Uma Jóia Cintilante

Seu Valor

"O seu valor muito excede o de finas jóias."[1]

Provérbios 31.10

Era um sonho que se tornaria realidade! Finalmente, eu iria conhecê-la! Estou falando da mulher de Provérbios 31, a mulher que é bela aos olhos de Deus, a mulher que passaremos a conhecer ao longo deste livro. Meu marido Jim ia levar os alunos do The Master's Seminary a Israel para um estudo intensivo e convidou-me a acompanhá-los!

Veja só, ele sabia. Ele sabia que, por 25 anos, eu havia feito tudo o que podia para aprender um pouco sobre essa bela mulher. Ele sabia que eu havia memorizado diversas versões de Provérbios 31.10-31. Ele também sabia (pelo nosso talão de cheques!) que eu havia feito um projeto especial de estudos sobre a vida dela para aquele mesmo quarto de século, investindo dinheiro em uma coleção de livros sobre Provérbios e sobre ela. E ele sabia que meu objetivo de vida era seguir o exemplo do estilo de vida daquela mulher. Sim, Jim sabia muito bem o que significava para mim conhecer aquela mulher. E, conforme eu disse, uma viagem à terra natal da mulher de Provérbios 31 para conhecê-la era um sonho que se tornaria realidade!

Fiz o que muitas mulheres fazem antes de viajar – listas e mais listas!

Claro que a lista das coisas a serem feitas antes de ausentar-me por um mês de casa e do escritório era longa. A lista dos objetos que levaríamos na viagem também era longa, tanto quanto a lista de artigos que precisávamos comprar antes de partir. Mas eu preparei – com cuidado e esmero – outra lista, tão pessoal e importante que a carreguei dentro da Bíblia durante toda a viagem. Dei a ela o nome de "Coisas para ver" e anotei cada aspecto cultural de Provérbios 31.10-31 que eu gostaria de conhecer em Israel. Tratava-se de uma missão. "Mulher virtuosa, quem a achará?", pergunta Provérbios 31.10. Bem, eu iria achá-la!

Em primeiro lugar de minha lista intitulada "Coisas para ver" constava o item *jóias*. Anotei esse item porque Provérbios 31.10 (o versículo de que trata este capítulo) começa com uma afirmação sobre o caráter da mulher virtuosa: "O seu valor muito excede o de finas jóias." Eu queria ver, antes de tudo, as jóias da terra de Israel que refletiam o valor da bela mulher de Deus, para poder compreendê-la e apreciá-la melhor.

Em busca do tesouro

Você e eu iniciamos a busca pela bela mulher de Deus no capítulo 1, quando lemos sobre a mãe que apresenta uma aula a um único aluno – seu jovem filho – a respeito da genuína beleza feminina. A lição ensinada por aquela mãe enfatiza que a verdadeira mulher piedosa é um tesouro extraordinário e excepcional. E agora, enquanto prosseguimos a leitura, vemos que a mãe reitera o valor da mulher fazendo uma referência a jóias: "O seu valor muito excede o de finas jóias" (Provérbios 31.10).

- "Seu valor excede o dos rubis", diz-nos uma tradução.[2] O rubi é uma pedra preciosa extraordinária, de cor vermelha muito viva, e os rubis grandes, por serem muito raros, chegam a ultrapassar o valor dos diamantes de peso idêntico![3]
- "Seu valor excede o das pérolas", afirma outra tradução.[4] Pense nisto: em 35 mil ostras, apenas 20 pérolas são encontradas, e, dessas 20, só três têm a qualidade de uma pedra preciosa![5]
- "Seu valor excede o dos corais", afirma outra versão da Bíblia.[6] Os corais são delicadas "flores-animais", e pouquíssimos têm qualidade suficiente para serem polidos e considerados pedras preciosas.[7]

Rubis. Pérolas. Corais. Escolha a pedra de sua predileção. Essas jóias cintilantes são raras *e* valiosas. Difíceis de encontrar e de colher. E essa é linguagem figurada que a mãe do jovem príncipe usa para incutir no filho que a mulher bela – aos olhos de Deus – possui qualidades extraordinárias. Assim que ela é encontrada, passa a ter um valor incalculável!

Agora, vou contar-lhe, minha bela amiga, o que encontrei em minha caça ao tesouro em Israel. Conforme já mencionei, minha lista de "Coisas para ver" tinha como primeiro item a palavra *jóias*. Portanto, quando nosso grupo de estudos passou um dia no Museu de Israel, mergulhei em minhas pesquisas sobre jóias. O museu exibia peças e mais peças, e minha pesquisa não tinha fim. Percorri todos os lugares e não encontrei uma única jóia! As jóias – bem como todos os outros artigos de valor – foram levadas embora por exércitos inimigos em épocas passadas.

Porém, o que encontrei no museu foi tão impressionante quanto o que não encontrei. Ora, afinal, o Museu de Israel é repleto de artefatos descobertos naquele país, e esses artefatos representam a riqueza da nação e sua longa história. Quais eram as relíquias que podiam dar informações sobre a vida da bela mulher de Deus? Qual não foi minha surpresa ao ver uma porção de... velharias! As paredes eram cobertas de escudos, espadas, armaduras e instrumentos de guerra! Estojos exibiam pratos e artigos de cozinha feitos de barro. Prensas para esmagar caroços de azeitonas e pedras de moinho para triturar grãos também eram exibidas. Eu não esperava encontrar nada disso!

Que lição aquelas peças primitivas nos ofereciam? Elas eram vozes que falavam de tempos difíceis – de lutar para sobreviver, de levar uma vida miserável, de mal conseguir existir. Aquelas peças falavam de trabalho e de guerra, de fadiga e de perdas. Havia pouco – ou quase nada – de beleza, cor ou evidência de prazer. Tudo o que vi era rude, triste e elementar, comprovando uma vida rude, triste e elementar.

Foi, então, que senti aquele estalo! De repente, percebi que a bela mulher de Deus, descrita em Provérbios 31, era a jóia cintilante na vida de seu marido! Ela trouxe amor, cor, alegria, vida e energia ao lar. Sim, a vida era triste em Israel, e o dia-a-dia daquele povo consistia apenas em sobreviver em uma terra árida e rústica. Alimento, roupas e abrigo eram grandes preocupações diárias. Mas, por ter uma esposa que era uma jóia cintilante, o homem podia levar uma vida mais agradável. Na verdade, por ter a bela mulher de Deus a seu lado, ele possuía um tesouro indescritível!

Como ser bela

Eu disse que senti um estalo – a verdade de Deus me atingiu em cheio! Emocionada, eu parei ao me dar conta da magnitude do plano de Deus para mim (e para você também!): eu devo levar beleza à vida de meu marido e de meus filhos à medida que lutamos juntos para sobreviver. Devo iluminar o lar com minha luz, mesmo diante de tempos difíceis.

Espero que você esteja entendendo que deve ser uma jóia cintilante para aqueles que enfrentam dificuldade, sofrimento, fadiga, trabalho árduo e tristeza. Ser uma jóia na vida daqueles que Ele nos concedeu como bênçãos é uma ordem de Deus difícil de ser cumprida, mas Ele sabe que você e eu podemos – por meio de sua maravilhosa graça – alcançá-la!

Assim como o valor das pedras preciosas aumenta com o passar do tempo, nós, belas mulheres de Deus – suas jóias –, também devemos ser desse modo. Aqui estão algumas sugestões práticas para ajudar a intensificar nosso brilho e iluminar tanto nossa vida como a de todos os que nos cercam:

1. Aperfeiçoar nossas habilidades – Casadas ou solteiras, nós, que somos mulheres de Deus, necessitamos aperfeiçoar as habilidades necessárias para dirigir nossa casa (ou apartamento ou dormitório).

Cuidar do lar – Lembro-me muito bem das lágrimas de tristeza derramadas por uma formanda de faculdade que estava prestes a se casar. Sua mãe financiou-lhe aulas de natação para que ela se tornasse uma atleta e levou-a a freqüentar piscinas durante 20 anos. Minha amiga aprendeu a nadar, mas não sabia cozinhar nem limpar uma casa!

Outra mulher teve o mesmo problema. Ou melhor, devo dizer que o problema era do marido dela. Certo dia, ele apareceu no escritório de Jim, no The Master's Seminary. Bem, ele ia para casa todas as tardes após as aulas e o trabalho e não encontrava nada! Não havia nada na mesa, nada cozinhando, nada no armário nem na geladeira para ser cozido, e sua esposa não tinha nada em mente para o jantar. Ela não tinha nenhuma idéia! E ele estava desanimado – e faminto!

Administrar o dinheiro – A bela mulher de Deus também necessita saber lidar com as finanças pessoais. Precisamos saber pagar contas, controlar talões de cheques, conferir extratos bancários, acompanhar contas de poupança e investimentos e dominar a arte de lidar com cartões de crédito. Jim diz que um de meus maiores talentos é saber tomar conta das finanças de nossa família. Como sou eu quem controla seu salário, durante mais de 30 anos, ele aproveita as horas preciosas por semana que gastaria fazendo a contabilidade, em outras responsabilidades em casa, no trabalho e na igreja. À medida que caminharmos juntas no estudo de Provérbios 31.10-31, você observará cada vez mais o talento para negócios daquela bela mulher de Deus!

Administrar o tempo – Administrar o tempo diligentemente é a chave para dirigir o lar (e a vida!) com tranqüilidade. O tempo é o bem mais precioso que Deus nos dá, e Ele espera que esse tempo seja aproveitado ao máximo (Colossenses 4.5) e usado para seus propósitos (Efésios 2.10). A vida é feita de minutos, e esses minutos devem ser administrados com sabedoria e eficiência. Eu a incentivo a desenvolver o hábito diário de planejar e programar. Se você não sabe como iniciar, leia alguns livros sobre administração ou converse com mulheres que dominem essa prática.

2. Desenvolver estabilidade emocional – Para sermos uma jóia cintilante na vida de qualquer pessoa, você e eu necessitamos desenvolver estabilidade emocional. Afinal, a dona-de-casa é quem determina o clima emocional de todos os que moram sob seu teto: seu estado emocional estabiliza ou não o ambiente. Provérbios fala numerosas vezes da mulher mal-humorada, que é como podridão nos ossos do marido (12.4), e da mulher briguenta, cujo marido não consegue mais viver na mesma casa com ela (21.9 e 19; 25.24). Sei que nem você nem eu desejamos ser esse tipo de mulher desagradável. Queremos viver de acordo com o epitáfio que li certa vez em um túmulo. Depois de 60 anos de vida conjugal, o marido disse o seguinte a respeito da esposa: "Ela sempre fez o nosso lar feliz." Que homenagem maravilhosa a essa jóia cintilante!

Já que este livro aborda como ser uma mulher virtuosa – uma mulher forte na mente, nas emoções, no físico e no espírito –, apresento três sugestões para adquirir um pouco de estabilidade emocional, a fim de que você também possa tornar o seu lar feliz.

Domine a arte de ser tolerante – Quando falo de tolerância, estou falando de resignação. A estabilidade emocional dá ao soldado de um exército a inestimável habilidade de continuar marchando mesmo quando a jornada é difícil; e é isso que você deve fazer. Aprenda a ser resignada, algo que tenho tentado praticar durante décadas. A partir do momento que descobri que a bela e virtuosa mulher de Deus é um exército de virtudes, tenho tentado praticar a habilidade do soldado em perseverar, e recorro a Deus para que Ele seja o meu Auxiliador.

Quando enfrento circunstâncias difíceis ou tempos de sofrimento, oro mais ou menos assim: *Deus, tua Palavra diz que já me deste todas as coisas que conduzem à vida e à piedade (2 Pedro 1.3). E tua Palavra diz que posso fazer todas as coisas – inclusive essa – por meio de Cristo que me fortalece* (Filipenses 4.13). *Pela tua graça e mediante o teu Espírito, eu posso fazer isso. Obrigada por me dares força para enfrentar o desafio!*

Com essa oração, eu reconheço os recursos maravilhosos que tenho no Senhor e, aí, eu reúno força física e mental como um soldado e marcho em direção ao que está diante de mim. Eu me proponho a enfrentar os desafios da vida com tranqüilidade... com serenidade... e com determinação, à medida que eles vão e vêm com a mesma regularidade das ondas do mar. Pois bem, meu objetivo – minha oração – é sempre no sentido de que eu não ceda, não desista, não pare. Em vez de me deixar dominar pelas emoções, quero ter a força de um soldado para me tornar bela aos olhos de Deus, e sei que você também tem o mesmo desejo.

Domine seu temperamento – Estou usando a palavra *temperamento* para referir-me à "cabeça quente" e à raiva. Quando o assunto é temperamento, a Palavra de Deus diz algumas coisas sobre a mulher que é forte:

- Ela tem ânimo sereno (Provérbios 14.30).
- Ela sabe como esperar (Provérbios 19.2).
- Ela não discute (Provérbios 19.11).
- Ela tem domínio próprio (Provérbios 25.28).

Essa descrição talvez pareça outro sonho impossível, mas garanto a você que Deus se utiliza da nossa devoção fervorosa a Ele e nosso cuidado em cumprir seus preceitos, dia após dia, incidente após incidente, desafio após desafio, durante a vida toda, para incutir em nós a divina beleza, um reflexo de sua imagem.

Comecei a aprender a dominar meu temperamento criando uma página de "resoluções" em meu caderno de orações. Essa lista (você deve achar que sou maníaca por listas!) continha os pecados mortais que eu confessava a Deus diariamente, acompanhados de uma súplica sincera para que Ele me ajudasse a eliminá-los de minha vida (Mateus 5.29-30). Um dos tópicos daquela lista era um péssimo hábito: "Pare de gritar com as crianças." Espero que você tenha entendido!

Domine sua língua – Por falar em pecados mortais, você não acha que a maioria deles tem alguma coisa a ver com a nossa língua? Bênção e maldição procedem da mesma boca (Tiago 3.10). Nossas palavras podem "ferir como espada" ou "trazer a cura" (Provérbios 12.18). Se quisermos levar o brilho da beleza de Deus para dentro de casa, você e eu precisamos pôr em prática outros provérbios sábios. Precisamos especificamente:

- Falar menos (Provérbios 10.19).
- Falar só depois de meditarmos sobre o que vamos dizer (Provérbios 15.28).

- Falar só o que é doce e agradável (Provérbios 16.21 e 24).
- Falar só o que é bom e sábio (Provérbios 31.26)

Com base nesse tópico, não posso deixar de compartilhar com você uma das devocionais favoritas de nossa família extraída da série *O pão nosso de cada dia*. No dia em que Jim a leu, na hora do café da manhã, minha filha Katherine desenhou na página cinco estrelas e escreveu a palavra "mamãe". Foi em 17 de maio de 1982 – um dia memorável para nossa família. Talvez essa devocional também possa ajudá-la.

> Uma senhora contraiu uma doença grave na garganta. O médico prescreveu um remédio e disse a ela que suas cordas vocais necessitavam de descanso total – ficar calada durante seis meses! Com um marido e seis filhos para cuidar, a ordem parecia impossível de ser cumprida, mas ela cooperou. Quando precisava chamar os filhos, ela usava um apito. As instruções eram dadas em forma de memorandos, e as perguntas respondidas em blocos de papel que ela colocava por toda a casa. Passaram os seis meses. Assim que ela sarou, seus primeiros comentários foram surpreendentes. Ela disse que as crianças se tornaram mais silenciosas e fez a seguinte observação: "Acho que nunca mais vou gritar como fazia antes." Quando lhe perguntaram sobre as instruções escritas, ela respondeu: "Vocês não fazem idéia de quantas folhas de papel, escritas com pressa, eu amassei e joguei no lixo antes que outra pessoa lesse. Ler minhas palavras primeiro, sem que alguém as ouvisse, teve um efeito que jamais vou esquecer."[8]

Eu entendi a mensagem: falar menos... e só falar depois de meditar sobre o que vou dizer. E falar só o que é doce e agradável... só o que é bom e sábio! Essas são as orientações de Deus para um lindo discurso.

Um convite à beleza

Você também deseja ter essa beleza prática e essa força interior de Deus em sua vida, querida irmã? Deseja ser bela aos olhos dele, ser uma jóia cintilante que leve brilho à vida de outras pessoas?

Devemos pagar um preço se quisermos ser uma jóia "sem preço", se quisermos ser mulheres cujo "valor muito excede o de finas jóias". Essa rara beleza de caráter é tão difícil de ser adquirida quanto a beleza das jóias que tanto apreciamos. Como é difícil começar a trabalhar em uma pedra preciosa. As gemas duras e em estado bruto precisam ser lapidadas. Todos os defeitos, tudo o que é desagradável ao olhar precisa ser retirado. Depois de lapidadas, essas pedras são polidas para ter mais brilho, para que suas cores cintilem e para ter um fulgor reluzente como o de um arco-íris. Nosso brilho surge pelo mesmo processo, e quer sejamos casadas quer solteiras, adquirimos maior estabilidade emocional e aperfeiçoamos nossas habilidades. Com esses dois importantes elementos em nosso interior, nós, que almejamos ser belas pedras preciosas de Deus, brilharemos intensamente.

Oh! minha querida, Deus, nosso Mestre Lapidador, está segurando o seu coração (e o meu) em suas mãos. Você olhará nos olhos dele, verá seu amor por você e deixará que Ele realize sua obra purificadora? Você apresentará diante dele os defeitos de sua vida que ofuscam seu fulgor, seu brilho? Você pedirá a Ele que a ajude a não sucumbir diante de qualquer emoção prejudicial? E fará sua parte para desenvolver estabilidade emocional e para polir suas habilidades? Essas duas características – seu caráter e as habilidades que refletem seu caráter – são muito valiosas para Ele e muito valiosas para outros. Que Deus aperfeiçoe o processo de beleza em sua vida!

Passaremos agora a analisar outra peculiaridade cintilante da mulher bela aos olhos de Deus.

3

Uma Rocha Sólida

Sua Lealdade

"O coração do seu marido confia nela."

Provérbios 31.11

Li, certa vez, a história de um casal que fez os votos de casamento no topo do Rochedo de Gibraltar, a famosa ilha de pedra na entrada do mar Mediterrâneo. O noivo explicou que eles desejavam que seu casamento fosse alicerçado sobre uma rocha. Bem, muito melhor seria se, em vez de escolher Gibraltar, o marido tivesse optado por edificar seu casamento na rocha chamada Jesus Cristo e no alicerce de pedra da lealdade de sua esposa! Quando um homem se casa com uma mulher forte do ponto de vista mental, emocional, físico e espiritual, ele é capaz de construir sua vida, seu trabalho e seu lar na certeza de que o firme caráter de sua esposa será a pedra fundamental para suas realizações.

Acredite em mim. Depois de fazer minhas pesquisas em Israel e de permanecer em Jerusalém por três semanas, aprendi muitas coisas a respeito de rochas! Subir colinas dia após dia me fez adquirir as características de uma gazela, à medida que caminhávamos em direção ao topo, contornando rochas, andando entre elas e descendo por elas. Os montes do Oriente Médio que visitamos – formados por restos acumulados de cidades do Antigo Testamento – consistiam de camadas e mais camadas de rocha, todos assentados sobre um alicerce de pedra.

Contudo, a rocha mais bonita que vi foi uma pedra angular. Tirei uma fotografia daquela pedra (e estou olhando para ela enquanto escrevo), porque Deus refere-se às mulheres como "pedras angulares" (Salmo 144.12). Escolhi a pedra angular na base escavada ao sul do Monte do Templo, o local do Templo de Herodes (onde Jesus adorou a Deus). Sustentando o gigantesco alicerce do santuário, essa antiga pedra angular suporta o peso de paredes de pedra de quase 23m de altura por mais de 2.000 anos. Com 6m de comprimento, 1,80m de altura e, no mínimo, 2,5m de largura, ela continua suportando todo o peso da parede do Templo.

Essa extraordinária pedra angular foi cuidadosamente selecionada, porque Herodes desejava um alicerce muito firme para a maravilha que ele estava construindo. Aquele importante edifício precisava ser estável, portanto Herodes escolheu a rocha mais adequada possível para ser a pedra angular. E ela provou ser sólida, porque nunca se moveu, mesmo após 2.000 anos de batalhas, de terremotos, de fenômenos atmosféricos e da erosão causada pelo tempo – o mesmo acontecendo com a parede nela apoiada!

Assim como aquela parede, seu casamento pode ser fortalecido se você, minha irmã no Senhor, tornar-se – pela misericórdia dele – uma mulher virtuosa de grande força, que permanece firme como uma rocha. A pedra angular da qual tirei uma fotografia talvez não seja bela, e sua maior parte está sob a terra e não pode ser vista, mas o Templo de Herodes era esplêndido! Quero que você grave a imagem dessa pedra angular na mente ao longo deste capítulo, porque o retrato de uma esposa que permanece firme e forte como uma rocha é a essência de Provérbios 31.11.

A linguagem da lealdade

Eu pensei que soubesse tudo a respeito de confiança, mas tenho de admitir que encontrei três surpresas ao analisar esta afirmação: "O coração do seu marido confia nela" (Provérbios 31.11). Essas surpresas ensinaram-me um pouco mais a respeito da importância de ser uma rocha para meu marido Jim.

Tranqüilidade – Antes de tudo, reflita sobre "o *coração* do seu marido". A palavra hebraica que designa *coração* refere-se, na verdade, à mente em que a dúvida, a ansiedade e o desassossego se instalam. Mas o coração (a mente) de um marido que pode confiar em uma esposa leal é um coração tranqüilo, despreocupado. O seu (e o meu) chamado como mulher de Deus a exorta a ter uma vida sólida, para que seu marido nunca tenha preocupações nem ponha em dúvida seu caráter ou sua capacidade de administrar o lar, as finanças e o tempo! Dessa forma, seu marido poderá edificar a vida dele sobre a pedra angular de sua lealdade, ter um coração tranqüilo que repousa sobre o firme alicerce da esposa.

Encorajamento – A seguir, vem o fator confiança: "O coração do seu marido *confia* nela." A palavra hebraica que designa *confiança* pode ser traduzida como "ser de muita coragem, ter bom ânimo e sentir-se confiante"[1]. Portanto, o homem casado com uma bela mulher de Deus sente-se confiante – ele é encorajado – por poder confiar em sua esposa![2] A lealdade dela é um ministério diário de encorajamento para ele. E, por ter confiança nela (ele "confia nela"), ele é encorajado e fortalecido para realizar suas tarefas.

Confiança em Deus – Ao longo do livro de Provérbios, lemos que confiar em pessoas ou buscar qualquer outra coisa que não seja Deus é tolice (veja Provérbios 3.5). Deus, porém, abre uma exceção para seu princípio: Embora a riqueza de um homem seja, normalmente, resultado de sua confiança em *Deus*, aqui em Provérbios 31.11 a sua riqueza é resultado do valor de *sua esposa* – em quem ele confia inteiramente. Ele confia na esposa da mesma maneira que confia em Deus![3] "O coração do seu marido confia *nela*" – e no Senhor! Ou, conforme a interpretação de um tradutor: "O coração do seu marido tem fé nela"![4] Imagine só, ser chamada para trabalhar com Deus para confortar e apoiar nosso companheiro. Que privilégio e ministério incríveis!

Lista dos itens sobre lealdade

Essas três surpresas me fizeram pensar um bocado. Foi maravilhoso constatar que, por minha causa (isto é, quando sigo as orientações de Deus), meu Jim pode ter tranqüilidade, segurança e uma profunda confiança em Deus.

Enquanto eu refletia sobre o impacto que nossa lealdade tem sobre nossos esforçados maridos, voltei a analisar minuciosamente Provérbios 31.10-31 e fiz uma lista dos itens sobre lealdade. Ela é importante mesmo que você não seja casada. Lembre-se, é assim que aquela mãe aconselha o filho: que ele procure uma mulher *solteira* que *já* possua a bela virtude da lealdade! Todas as belas mulheres de Deus devem ser merecedoras dessa descrição: fiel, sincera e constante; uma rocha sólida quanto a seu caráter, seu casamento, sua família, seus relacionamentos e seu ministério. Quer sejamos casadas, quer solteiras, nosso objetivo é que essa virtude inestimável torne-se uma jóia em nossa coroa (Provérbios 12.4)!

Aqui está a minha lista dos itens sobre lealdade em dez diferentes esferas da vida diária. Que tal você comparar sua vida com os padrões apresentados por Deus? Você está edificando sua vida, sua casa e seu casamento sobre essas rochas?

Dinheiro – Sua diligente administração dos bens de seu marido deixa o coração e a mente dele tranqüilos (Provérbios 31.27)? Ele pode confiar em você como uma esposa parcimoniosa, sábia e responsável?

Filhos – Você é uma mãe zelosa e dedicada, capaz de educar filhos obedientes, que amem o Senhor e aos pais, honrando o nome deles (Provérbios 31.1-2)?

Lar – Seu marido sente-se encorajado por saber que tudo está bem – e estará bem – em casa porque você concentra seus esforços no sentido de administrar o lar com eficiência (Provérbios 31.13,27)?

Reputação – O coração de seu marido tem tranqüilidade porque ele sabe que você lhe fará o bem, não o mal, todos os dias de sua vida, nunca levantando dúvidas quanto ao caráter dele (Provérbios 31.12,23)?

Fidelidade – Seu marido pode confiar e até mesmo se alegrar por ter uma esposa que cumpre e que sempre cumprirá fielmente os votos matrimoniais (Provérbios 5.18)?

Emoções – Seu marido sente tranqüilidade por saber que pode depender de você para ter uma vida emocionalmente firme e estável, sem ânimos exaltados e explosões de raiva (Provérbios 14.30)?

Felicidade – Você é uma fonte de alegria, uma mulher que deleita-se no Senhor (Salmo 37.4) e transmite ânimo a todos da casa?

Sabedoria – Seu marido pode ter a certeza de que você é capaz de lidar com os desafios, as dificuldades e as crises da vida com prudência e sabedoria (Provérbios 19.14)?

Comportamento – Seu marido pode confiar que você é uma mulher que se comporta com graciosidade (Provérbios 11.16), discrição (Provérbios 11.22), virtude (Provérbios 31.10) e dignidade (Provérbios 31.25)?

Amor – Progresso nos nove itens anteriores significa progresso no amor! Ora, o amor é conhecido pelas ações. Seu zelo constante pelos bens materiais e espirituais de seu marido é uma prova evidente de seu amor por ele (Provérbios 31.29).

Espero que você esteja começando a apreciar quanto Deus valoriza a lealdade em você e em mim! Você compreende por que a lealdade é tão bela aos olhos dele – e aos olhos de seu marido? Aqui em Provérbios 31, a lealdade é o item número 1 da lista de Deus sobre o caráter. Você (e eu) pode tomar atitudes específicas e concretas – diariamente e pelo resto da vida – para assentar um firme alicerce de lealdade e conquistar a confiança de todos os que a rodeiam.

Como ser bela

1. Leve a sério a confiança – Precisamos levar a sério tudo o que Deus diz todas as vezes que Ele fala! E Deus diz que a "mulher virtuosa"– a mulher que é fiel, a esposa que é leal – é uma pessoa confiável. A melhor maneira de assentar essa pedra angular de beleza piedosa é colocá-la em primeiro lugar em sua lista de oração diária. Peça a Deus que transforme seu caráter.

2. Mantenha sua palavra – Lembro-me de ter ouvido um grupo de universitárias mencionando seus pedidos de oração durante o estudo bíblico semanal em nossa casa. Aquelas mulheres pediam com sinceridade e insistência que suas companheiras orassem para que elas se tornassem "mulheres de palavra", mulheres que cumprem o que dizem. Esse é um bom objetivo para nós. Lance um desafio a si mesma para cumprir o que você diz, estar no lugar que prometeu e comparecer aos compromissos assumidos.

3. Obedecer às instruções – O grau de nossa obediência serve para medir nossa fidelidade e lealdade. Em Gênesis 3.1-6, por exemplo, vemos que Eva falhou com seu marido – e com Deus – quando deixou de obedecer às instruções de Deus com referência à árvore do conhecimento do bem e do mal e comeu o fruto proibido (Gênesis 2.17). Sua desobediência às orientações de Deus transtornou o mundo. Seu pecado – o desejo de fazer as coisas à sua maneira e não à maneira do Senhor – fez cair por terra uma criação perfeita e exigiu o sacrifício do Filho Unigênito de Deus para nos reconduzir a uma comunhão com Ele (2 Coríntios 11.3; 1 Timóteo 2.14).

Portanto, para ser uma mulher confiável, é necessário que você cumpra as ordens que recebe! Não tente adivinhar os motivos que estão por trás das instruções. E não altere as instruções. Faça perguntas se for necessário, mas obedeça. Caso seu marido queira cancelar hoje a assinatura do jornal, cancele-a. Se ele precisar que você pegue as roupas dele na lavanderia, pegue-as. Se ele pedir que você troque o óleo do carro, troque-o. Se ele estiver fazendo uma dieta especial, estabeleça um cardápio de acordo. O coração de seu marido pode ficar tranqüilo, porque ele sabe que *você* está seguindo suas orientações quanto à casa, à família e às finanças. Além do mais, sua obediência é a prova do caráter que Deus plantou em seu coração!

4. Se estiver em dúvida, pergunte! – Uma senhora que estava tentando conquistar a confiança do marido levou o carro dele para ser consertado. Depois de levantar o carro com a ajuda de um elevador, o mecânico notou que uma peça "de nome complicado" precisava ser substituída. Quando ele perguntou se ela queria trocar a peça ("Que bom eu ter visto esse problema! A senhora não ia conseguir brecar rapidamente o carro, se precisasse! Vai levar só um minuto – e alguns dólares a mais, é claro, se a senhora me autorizar!"), a mulher estava prestes a dizer um "Sim!" entusiasmado quando se lembrou de seu objetivo. Ela ligou para o marido indagando se deveria autorizar a troca da peça. Ele lhe disse que se tratava de uma peça barata e que ele mesmo poderia trocá-la. E agradeceu-lhe o telefonema! A esposa notou que ele ficou com o coração agradecido e tranqüilo por ela ter ligado para perguntar. Com aquela atitude sábia, a mulher conquistou a confiança do marido, foi útil a ele e economizou o dinheiro de ambos – tudo ao mesmo tempo!

Portanto, se estiver em dúvida, pergunte. Telefone para o seu marido e peça-lhe orientação. Seu objetivo é fazer tudo o que for necessário à maneira *dele*. (P.S. Pedir orientação como fez aquela senhora é também sinal de sabedoria. Provérbios 28.26 diz: "O que confia no seu próprio coração é insensato.")

5. Informe sempre onde você está – Na época em que Jim e eu ensinávamos nossas filhas adolescentes Katherine e Courtney a serem responsáveis e dignas de confiança, só permitíamos que elas saíssem de casa se soubéssemos onde estariam e concordassem em nos avisar caso mudassem de plano.

E eu faço o mesmo como esposa! Ora, quero que Jim sempre saiba onde estou. Esse objetivo torna-se um desafio quando viajo para fazer conferências. Geralmente, Jim me acompanha, mas, quando isso não ocorre, eu ligo para ele, passo um *fax* ou um *e-mail*. Além disso, deixo com ele um roteiro completo da viagem com nomes, lugares, números de telefone, números de *fax*, números e horários de vôo. Ligo para ele de cada aeroporto – a cada troca de avião – e de cada cidade onde faço a palestra. Temos até uma linha 0800 para que eu possa ligar para ele de qualquer lugar. Quando ele está ausente do escritório ou em reunião, deixo um recado com sua meiga secretária Janice: "Diga a ele onde estou. Diga a ele que liguei. Só isso." É muito importante para mim que Jim saiba exatamente onde estou. Mesmo quando saio de casa para tratar de assuntos corriqueiros, ao voltar ligo para Janice e digo: "Avise a Jim que já estou em casa."

Seu marido precisa sempre saber onde você está. Quando você o mantém informado, está demonstrando claramente sua disposição de prestar contas de seus atos a seu marido, e isso aumenta a confiança dele em você e no relacionamento entre ambos. Além disso – voltando à história de Eva –, será que Satanás a enganou (Gênesis 3.1) porque ela estava longe da proteção do marido e deixou de avisá-lo sobre seu paradeiro? Acho que não preciso dizer mais nada!

Um convite à beleza

E agora, minha leal amiga e bela irmã, é hora de nos voltarmos para o Pai e admirarmos seu rosto maravilhoso. Conforme já foi mencionado, sempre que Deus fala, precisamos levar sua palavra a sério. Aqui em Provérbios 31.11, Deus deseja que exibamos um de seus atributos pessoais – a fidelidade. Você e eu confiamos no Senhor porque confiamos em sua fidelidade. Davi, que confiava em Deus, proclamou: "Tu és a minha rocha" (Salmo 31.3). Deus pede a você que demonstre a fidelidade dele a seu marido; Ele pede que você seja uma rocha sólida para seu marido, uma esposa em quem ele possa confiar e descansar.

Você deseja ser bela aos olhos de Deus e refletir a lealdade e a fidelidade de Deus em sua vida? Então, necessita de *sua* maravilhosa graça, poder, fidelidade e força para depender dele em todas as áreas da vida. Você precisa ser uma mulher de palavra (e que cumpra a palavra dele!) e uma mulher obediente em todos os afazeres da vida diária.

O título deste capítulo é "Uma rocha sólida" e, querida amiga, isso é exatamente o que você será para seu marido (e para as outras pessoas): ter uma vida consistente em sua lealdade para com ele. A vida é dura e repleta de percalços, e seu marido tem uma grande carga de responsabilidade. Ele necessita de uma rocha sólida em que sua alma possa repousar, e você tem o privilégio de ser essa rocha! Você vai presentear seu marido com um coração livre de preocupações? Será para ele aquela rocha "tão necessária" para proporcionar-lhe descanso? Começará hoje mesmo a fazer da virtude da lealdade um objetivo de vida, à medida que Deus a transforma em uma de suas pedras angulares mais preciosas (Salmo 144.12)?

4

Um Troféu Valioso

Sua Contribuição

"[...] e não haverá falta de ganho."
Provérbios 31.11

"Acho que você vai querer ler isto", disse Jim entregando-me o caderno de negócios de nosso jornal diário. (E eu acho que você também vai querer ler este capítulo!) O artigo em questão ensinava, conforme o título dizia, "Como iniciar seu pé-de-meia":

- Controle as despesas.
- Reduza os gastos.
- Seja prudente nas compras.
- Evite fazer dívidas (principalmente com cartões de crédito).
- Economize o equivalente a seis meses de despesas rotineiras para emergências.
- Separe uma quantia por mês para poupança e investimento.
- Invista com disposição.[1]

Custei a acreditar! Meu jornal estava descrevendo a sabedoria que a bela mulher de Deus já possui... e pratica! Por ser uma microempresária por excelência, ela já segue esse conselho prestando uma contribuição inestimável ao bem-estar financeiro de sua família.

Espólios de guerra

Como parte das excelentes virtudes que a bela mulher de Deus possui, o cuidado que ela dedica às finanças da casa torna-a preciosa para seu marido e sua família. Por ela ser um troféu valioso, seu marido não terá "falta de ganho" (Provérbios 31.11). Eu vou explicar.

Um troféu militar – O significado da palavra "ganho" deriva do ambiente cultural de Provérbios. Naquela época, quando um exército derrotava outro, o general vitorioso e seus soldados levavam consigo os espólios de guerra. Esses espólios eram troféus e significavam riqueza nos tempos em que faltava dinheiro.

Com esse versículo de Provérbios 31 em mente, eu passei um longo tempo no Museu de Israel estudando uma peça de 4,5m x 15m esculpida em barro, encontrada em um muro na Babilônia. Ela retratava o cerco histórico de Laquis, uma grande cidade da Palestina, no ano 701 a.C. (2 Crônicas 32.9). O lado esquerdo da peça retratava em detalhes a batalha violenta travada no portão e ao redor dos muros da cidade. O lado direito mostrava os vitoriosos levando os troféus de guerra – prisioneiros que seriam escravos, animais para alimento, tesouros em ouro, prata, pedras preciosas e roupas.

Um troféu de paz – A riqueza também podia ser adquirida sem que se enfrentasse a morte nos campos de batalha. Havia outros meios mais pacíficos, lícitos ou não, de conseguir riquezas, por exemplo: fazendo negociatas e mentindo, trapaceando ou roubando; pegando dinheiro emprestado; tornando-se um empregado contratado e trabalhando por longos períodos em lugares distantes.

Um troféu pessoal – A mulher que é bela aos olhos de Deus sabe que, quando ajuda o marido a controlar as finanças da casa, "não haverá falta de ganho" (v. 11). Ela não quer que lhe falte nada, mas também não quer que ele seja forçado a deixar a esposa, os filhos ou o lar para ir para a guerra – pôr sua vida em risco – a fim de trazer para casa os espólios que servirão para pagar dívidas ou aumentar sua riqueza pessoal. E, certamente, ela não quer que ele seja tentado a ganhar dinheiro por meios ilícitos! Portanto, ela prefere dar tudo de si – sua inteligência, sua força – para trabalhar e esforçar-se a fim de que seu marido não tenha "falta de ganho". É fácil ver que ela é o ganho, a riqueza, o troféu valioso!

A "guerreira"

Ela também é uma guerreira. Definimos a palavra *virtuoso*, no capítulo 1, como "exército", e essa idéia é repetida aqui. Os idiomas hebraico e grego apresentam uma descrição metafórica dessa mulher, desse troféu valioso, como uma poderosa guerreira que utiliza suas habilidades em prol dos bens de seu marido.[2]

Essa imagem surpreendente exibe, de forma dramática, o comprometimento da bela mulher de Deus com seu marido e com a riqueza e o bem-estar dele. Guerreira eternamente leal, dedica sua vida e suas forças ao bem-estar do marido e do lar. *Ela* batalha diariamente na linha de frente do lar para que *ele* não necessite partir para a guerra ou enfrentar "falta de ganho"!

A beleza do plano de Deus

Sei que isso pode parecer grosseiro, materialista e desagradável, mas grande parte de Provérbios 31.10-31 trata de dinheiro. Os 22 versículos que retratam a bela mulher de Deus mostram claramente o envolvimento diário dela em administrar, ganhar e multiplicar o dinheiro. Quando leio essa passagem, eu me pergunto por que o controle do dinheiro é tão importante aos olhos de Deus, e entender os porquês foi um ótimo exercício para mim. Aqui estão algumas razões:

Deus é glorificado – O ensinamento de Provérbios 31 sobre as finanças da família – como ganhar, administrar e multiplicar o dinheiro – é um desígnio de Deus para as mulheres belas aos seus olhos. Ele é glorificado quando seguimos seu plano.

Seu marido é abençoado – A esposa que administra o dinheiro da casa é uma bênção para o marido, porque isso dá a ele tranqüilidade *e* tempo para dedicar-se a outras coisas. Mesmo que o marido supervisione as finanças de maneira geral, é a mulher quem dirige o lar e, portanto, administra o dinheiro diariamente. Você pode, por exemplo, controlar o orçamento para a alimentação da família, economizar dinheiro aproveitando promoções e liquidações, fazer compras com prudência e cozinhar em vez de comprar comida congelada ou comer fora.

Seus filhos são beneficiados – À medida que seus filhos observarem como você, mãe bela aos olhos de Deus, controla o dinheiro, eles serão cada vez mais abençoados. Aprenderão muitas lições ao ver como você administra, ganha, economiza e gasta o dinheiro (as crianças observam nossas ofertas regulares à igreja!). Seus filhos passarão a ter um respeito saudável pelo dinheiro, um grande apreço pela administração dos bens da família, além de ser disciplinados com respeito às finanças e de aprender a poupar e a controlar o dinheiro sozinhos. Você os treinará para a vida por meio do exemplo que lhes dá.

Seu lar é edificado – O livro de Provérbios ensina que "A mulher sábia edifica a sua casa" (14.1) e que "Com sabedoria edifica-se a casa" (24.3). O que caracteriza a casa sabiamente edificada? "Pelo conhecimento se encherão as câmaras de toda sorte de bens, preciosos e deleitáveis" (24.4). Como você pode edificar uma casa assim? Supervisionando as finanças com perspicácia. Sua casa terá toda sorte de bens – ela será um verdadeiro lar, doce lar!

Seu caráter floresce – Provérbios 31 mostra claramente que, aos olhos de Deus, a administração sábia do dinheiro é uma virtude. E Deus nos exorta a cultivar outra virtude – a do autocontrole – na área do dinheiro. Geralmente, a única pessoa que você tem de vigiar quando se trata de economizar dinheiro é *você mesma*! Afinal, qualquer decisão de *não* gastar dinheiro significa dinheiro poupado! Quando você aprende a viver com pouco dinheiro, quando aprende a dizer não, colhe grandes recompensas: as economias crescem, as despesas diminuem e a conta bancária aumenta... Tudo isso a deixa motivada para continuar sua sábia administração do dinheiro!

Uma história pessoal

Logo no início de nosso casamento, Jim cuidava das finanças da casa. Ele pagava as contas, controlava os talões de cheques e arquivava tudo. Porém, à medida que sua vida começou a complicar-se, a administração do dinheiro tornou-se um grande fardo para ele. Eu não gostava de vê-lo acordado até altas horas da noite, debruçado sobre talões de cheques, e detestava aquelas manhãs em que ele preenchia os cheques na última hora antes de sair apressado para o trabalho. Eu odiava a papelada que ele tinha de enfrentar antes e depois de suas longas viagens missionárias. E eu não me atrevia a examinar aquelas pilhas e pilhas de papéis.

Apenas tirava cuidadosamente o pó de sua mesa sem mexer em nada! Nossa vida era marcada por correrias até o correio, esperas na fila do banco no fim do mês para pagar as contas em dia e frustração quando ainda tínhamos de pagar juros e multas por algum eventual atraso.

A memorização de Provérbios 31.10-31 e o estudo da vida da bela mulher aos olhos de Deus ajudaram-me a compreender que eu poderia facilitar a vida de Jim se assumisse algumas responsabilidades dele. Sob sua orientação, aprendi noções básicas de contabilidade, de contas a pagar e de transações bancárias, e comecei a contribuir para nosso bem-estar financeiro. Não, naquela época eu não tinha emprego nem fonte de renda, mas vou explicar-lhe como contribuí financeiramente – e como continuo a contribuir até hoje.

- Eu pagava todas as contas em dia, economizando o que seria gasto com juros e multas por atrasos. Aquilo significou mais dinheiro no banco.

- Abrimos uma conta de poupança e autorizamos que parte do salário de Jim fosse transferida automaticamente para ela. Aquilo significou menos idas ao banco, menos papelada e mais economia.

- Verificávamos os extratos bancários no próprio dia em que os recebíamos. Com isso, conhecíamos nossa situação financeira do momento. Acabaram-se os cheques devolvidos por insuficiência de fundos, o que também se traduziu em mais dinheiro no banco.

- O canhoto do talão de cheques mostrava o nosso saldo real, e sabíamos exatamente em que situação estávamos em cada dia do mês. Aquilo significou um aumento na conta de poupança pelo fato de termos deixado de gastar mais do que podíamos.

Não é necessário dizer que Jim sentiu um grande alívio quando comecei a contribuir para melhorarmos nossa saúde financeira das maneiras explicadas acima. O tempo economizado por ele era gasto de outras formas mais produtivas, tanto em casa como em seu ministério. Nossas noites em casa tornaram-se mais amenas, e nossas manhãs, mais tranqüilas. A sensação de liberdade foi maravilhosa depois que conseguimos controlar nossas finanças.

Minha contribuição, porém, não terminou com os quatro itens mencionados acima. Aquilo foi só o começo! Eu fui mais longe. Comecei a ler livros sobre administração do dinheiro, seus princípios e métodos. Isso me levou a fazer um curso avançado de finanças, em que aprendi outras maneiras de poupar, aumentar e administrar o salário de Jim. Levei a sério meu papel de administradora de finanças e consegui dominar essa arte – e você também é capaz disso!

Como ser bela

Oro para que você não seja como eu fui – uma esposa despreocupada e desinformada que abria os braços e dizia: "Oh, eu não entendo nada de dinheiro. Meu marido é quem cuida disso!" Para algumas pessoas, essas palavras talvez soassem como respeito e submissão, mas, na verdade, eram fruto de minha ignorância, tolice, imaturidade e fraqueza.

Oro para que você aprenda a aumentar seus rendimentos e contribuir para o orçamento doméstico, seja você casada ou solteira. Aqui estão alguns passos para que se torne uma bela administradora de finanças, um troféu valioso!

1. Assuma a responsabilidade – É claro que você quer cumprir o que seu marido deseja no que se refere a essa área vital do dinheiro, mas isso não a impede de aprender um pouco sobre finanças, sobre como lidar com o dinheiro dando sua contribuição (não se esqueça das promoções!), mesmo que seu marido cuide da contabilidade do lar. Você pode descobrir maneiras ilimitadas se assumir a responsabilidade que Deus lhe deu de dedicar-se aos assuntos financeiros do lar e de ajudar nessa área.

2. *Esforce-se para aprender a administrar as finanças* – Leia e reúna informações sobre finanças pessoais. Aprenda com outras pessoas como administrar, ganhar e economizar dinheiro. As principiantes poderão pôr em prática as idéias de "Como iniciar seu pé-de-meia" apresentadas no início deste capítulo.

3. *Discuta o assunto com seu marido* – Se você é casada, precisa submeter-se à liderança de seu marido (Gênesis 3.16; Efésios 5.22-24). Ele é o cabeça do lar, e você é a dona-de-casa, sua auxiliadora (1 Timóteo 5.14; Tito 2.5). Portanto, antes de tentar "assumir o controle" ou instituir reformas financeiras, verifique se ele aprova o plano.

Eu pus em prática esses três primeiros passos e comecei a ler livros e artigos sobre orçamento doméstico durante os anos em que Jim estudou no seminário – época em que quase não tínhamos dinheiro! Um artigo que li sugeria "Quinze maneiras de depositar mais dinheiro no banco".[3] Implementei aquelas que eu podia (por exemplo, guardar recibos para receber deduções do Imposto de Renda) e levei outras idéias a Jim para que ele me orientasse. As sugestões mais complexas envolviam nossos bens em comum. Eu não queria resolver sozinha se deveríamos aumentar a franquia da apólice de seguro de nosso carro e reduzir o prêmio sobre colisão e seguro total dos carros mais velhos. Tenho certeza de que você já entendeu como e quando envolver seu marido nas decisões!

4. Programe-se para saber administrar melhor as finanças – Inicie com um sistema de débito e crédito. Visite papelarias ou lojas de artigos de escritórios para comprar formulários específicos. Procure livros sobre como controlar as despesas da casa. Pense em comprar um programa de contabilidade para instalar em seu computador. Converse com o gerente de seu banco sobre a possibilidade de pagar as contas pela Internet. Autorize débitos automáticos em sua conta bancária. (Fiquei emocionada ontem quando autorizei esse tipo de serviço para a conta de gás! Agora vou ter uma conta a menos para controlar, um cheque a menos para preencher, um vencimento a menos com que me preocupar e, pelo menos, 15 minutos de tempo poupado!)

Além de adquirir conhecimento e materiais de escritório, você também poderá estabelecer uma área de trabalho em casa com uma mesa, um local específico para cuidar das finanças. Reserve esse lugar para colocar tudo o que se refere à administração do dinheiro, onde você possa trabalhar com tranqüilidade, arquivar e encontrar informações importantes.

Assim que você assumir a responsabilidade que Deus lhe deu, aprenda mais sobre como administrar o dinheiro da casa, peça a concordância de seu marido sobre suas novas funções (é *ele* quem vai determinar!) e organize-se. Você estará prestando uma importante contribuição ao seu lar. Eu garanto!

Um convite à beleza

Bem, sei que essa tarefa não é muito fascinante nem encantadora, mas Deus considera bela a contribuição que você dá à área financeira de seu lar!

Minha querida, este livro inteiro trata de virtude, caráter, vida piedosa e beleza espiritual. Tenha em mente que cada passo para alcançar o padrão de beleza de Deus deve ser seguido na vida prática, em lugares práticos (em casa) e de maneiras práticas (administração do dinheiro)!

Leia mais uma vez os versículos sagrados de Provérbios 31.10-31. Peça ao Espírito de Deus que lhe abra os olhos para as numerosas referências a essa bela mulher moderada nos gastos e sábia administradora de finanças. Ela foi realmente um troféu valioso para seu marido e um tributo a seu Deus, e é isso o que eu desejo para você!

5

Uma Fonte de Bondade

Sua Missão

"Ela lhe faz bem, e não mal, todos os dias da sua vida."

Provérbios 31.12

No momento em que me sentei à mesa para iniciar mais um capítulo sobre a bela mulher de Deus descrita em Provérbios 31, aquela que "faz bem, e não mal [a seu marido], todos os dias da sua vida" (v. 12), decidi dar-lhe o título de "Uma fonte de bondade". Esse título veio-me à mente por causa de duas fotos de meu sorridente marido Jim que ficam sobre minha mesa. Eu as tirei em En-Gedi, onde Davi, o herói do Antigo Testamento, escondeu-se do rei Saul e de seus três mil valentes guerreiros (1 Samuel 23.29–24.2). Jim posou nesse exato lugar para as duas fotografias – mas cada uma tem sua história...

Na primeira foto, Jim está em pé diante de uma cachoeira de 30 metros de altura, que forma embaixo uma piscina azul como o céu. Visitamos esse local no mesmo dia em que escalamos Masada, a segunda caminhada do dia por uma trilha poeirenta, suja, árida e, é claro, íngreme! A trilha também era rochosa. Na verdade, o lugar foi um esconderijo perfeito para Davi, exatamente por causa das pedras e cavernas. Depois de muito esforço subindo, subindo e subindo, desviando de pedras de todos os tipos, chegamos finalmente ao nosso destino – a cachoeira e as águas borbulhantes de En-Gedi. En-Gedi significa "fonte do bode selvagem" (é preciso ser um para chegar lá!) ou "fonte do cabrito".[1] Foi realmente uma visão refrescante para nossos olhos cansados – e um refrigério para nossos pés doloridos!

A pequena fonte perene que alimenta essa cachoeira gera um oásis de águas frescas, calmo e revigorante na aridez do deserto. As crianças brincavam, riam e batiam com força na água. Os adultos andavam ao redor, descontraídos e molhando seus pés cansados. Uma sombra formada pela parede tosca da rocha, pela exuberante vegetação verde e por algumas árvores, nos envolveu em um caloroso abraço após o esforço físico, o calor, a sede e a caminhada por terreno arenoso. Como é fácil imaginar o que esse refúgio significou para Davi! Aquela pequenina fonte proporcionou tudo o que ele necessitava. Davi devia estar olhando para aquelas rochas ao redor da fonte quando descreveu Deus como sua "rocha" e "fortaleza" (Salmo 31.3), "a rocha que é alta demais para mim" (Salmo 61.2).

Agora, vou contar-lhe a história da segunda foto. Jim posou para ela no mesmo lugar, mas virou o corpo 180º. O fundo dessa foto é o Mar Morto, um volume de água tão grande que ocupava todo o campo enquadrado por minha câmera!

O Mar Morto, com quase 80 quilômetros de extensão, 16 quilômetros de largura e cerca de 400 metros de profundidade, é alimentado pelo Rio Jordão a uma média de aproximadamente 23 milhões de litros de água fresca por dia. Mas a água do Mar Morto é salgada e, portanto, praticamente inútil. Conforme dizem: "Água por todos os lados, mas nem uma gota sequer para beber!" Localizado em uma terra árida e deserta, estorricada por falta de água, o Mar Morto não serve para nada. É tão grande, tão azul e tão convidativo, mas sua água envenena quem a bebe! Na verdade, é um Mar Morto... e um mar de morte!

Um coração de bondade

Agora, vamos voltar ao retrato da mulher que é bela aos olhos de Deus, a mulher de Provérbios 31.10-31. A mãe fervorosa – que apresenta o retrato que Deus faz da verdadeira beleza – ensina ao jovem príncipe, seu filho, as qualidades que devem ser encontradas em uma esposa. Ela vai mostrando retratos e mais retratos da bela mulher de Deus para que ele a reconheça quando a encontrar.

O próximo retrato do álbum, a foto do versículo 12, apresenta o coração da bela mulher de Deus. Ficamos surpreendidos por ele ser tão límpido, tão puro, tão encantador. O coração da bela mulher de Deus é cheio de bondade! Nesses tempos de egoísmo – egocentrismo, autoconfiança, auto-estima e auto-afirmação –,como é bom encontrar uma fonte altruísta de bondade. Não é de admirar que essa mulher seja bela aos olhos de Deus! Mas o que esse coração cheio de bondade revela?

A presença do bem – "Ela lhe faz bem", diz-nos Provérbios 31.12. O objetivo da bela mulher de Deus é fazer o bem a seu marido com grandes doses de generosidade. Ela vive para amá-lo, e lhe faz o bem em toda e qualquer oportunidade. Conduz sua vida e seu lar de maneira a fazer-lhe o bem rotineiramente.[2] Diariamente ora para que possa fazer o bem ao marido – amá-lo, servi-lo, honrá-lo, auxiliá-lo, mimá-lo e facilitar a vida dele. Longe de esperar alguma recompensa financeira, prestígio ou elogios, ela descobre que seu maior prêmio é obedecer às instruções de Deus e fazer o bem ao marido!

E de onde procede toda essa bondade? Como ela consegue fazer o bem a seu marido a vida inteira? Antes de tudo, por ser uma bela mulher de Deus, sua bondade faz parte do caráter que Deus lhe concedeu. Ela vive para fazer coisas boas – não importa o quê; sua vida gira em torno disso! Além do mais, ela é uma mulher que teme ao Senhor (Provérbios 31.30), e Ele a exorta a fazer o bem a seu marido. Ela leva a sério a missão dada por Deus de ser fonte de bondade em seu casamento. Afinal, *seu Pai Celestial* ordenou que ela faça o bem a *seu senhor terreno*, seu marido (Provérbios 31.12). E ela sente uma felicidade suprema por fazer exatamente isso – e fazê-lo "de todo o coração, como para o Senhor [seu Pai Celestial], e não para homens [seu marido terreno]" (Colossenses 3.23).

A ausência do mal – "Ela lhe faz bem, e *não mal* (Provérbios 31.12, grifo meu). Pelo fato de ser uma criatura pecadora (Salmo 14.1; Romanos 3.12,23), a bela mulher de Provérbios 31 sofre as mesmas tentações que você e eu, mas – pela misericórdia de Deus – ela luta contra o mal. Diante de cada oportunidade de ceder ao egoísmo, ao ressentimento, à raiva, ao desentendimento ou à discórdia, ela persevera contra o mal e opta por obedecer ao plano de Deus de fazer o bem a seu marido – e não mal. Conforme disse um senhor: "Se a vida já é difícil demais para um homem abrir caminho neste mundo, muito mais difícil será se ele tiver uma esposa que não o compreenda nem o apóie."[3]

A influência que dura uma vida inteira – O bem que a mulher de Provérbios 31 faz a seu marido e o mal que ela não lhe faz devem ser praticados "todos os dias de sua vida" (v.12). Esse é o tempo que Deus lhe deu para cumprir sua missão: ela deve derramar bondade na vida do marido "todos os dias da sua vida"! Deve levar a sério, literalmente, os votos de casamento de fazer o bem a seu marido "até que a morte nos separe". Ser uma fonte de bondade para seu amado marido é um chamado para a vida inteira. Ela deve ser meiga e constante hoje... amanhã... daqui a 25 anos... daqui a 50 anos... até que a morte separe o casal. Enfermidade, pobreza, velhice e erros não devem desencorajar seu compromisso de ser uma influência positiva na vida do marido.

Um exemplo de bondade

Tenho desfrutado durante anos a bênção diária do livro devocional *Streams in the Desert* [Mananciais no Deserto, publicado no Brasil pela Editora Betânia], escrito pela Sra. Charles E. Cowman.[4] Durante muito tempo, eu desconheci de que solo brotaram suas poderosas palavras de conforto! Só mais tarde conheci sua história. Então compreendi como e por que essa série de esperança e conforto foi compilada.

Charles Cowman foi fundador da Sociedade Missionária Oriental. Ao chegar perto do final de uma cruzada evangelística de cinco anos no Japão, ele comentou com a esposa: "Tenho sentido dores fortes no peito à noite." Apesar da insuportável dor física, Charles terminou a cruzada e só depois retornou aos Estados Unidos para descansar, recuperar-se... e sofrer um grave ataque cardíaco e um derrame que o deixou paralisado. Esse período de sofrimento e de enfermidade crônica pareceu-lhe como noites sem estrelas – e durou seis anos!

Para amenizar o desespero do marido, Lettie Cowman decidiu usar as promessas de Deus como antídoto. "Cada vez que a prova atingia o seu clímax, Deus mostrava a ela um velho texto ou lhe caía nas mãos um livro ou folheto que trazia a mensagem necessária no momento" [p. 5 de *Mananciais no Deserto*, Editora Betânia, MG]. Suas meditações, inspiradas em tais leituras, eram lidas diariamente para o seu marido e se constituíram em grande fonte de estímulo e conforto para ambos. Em meio a nuvens negras de sofrimento, ela escavava pepitas reluzentes de esperança na preciosa mina das promessas de Deus para repartir com seu querido Charles. No estudo da Bíblia, ela encontrou poder e conforto para sustento da alma de ambos, de que necessitavam desesperadamente.[5]

Minha querida, além de ser uma rocha sólida para a alma do marido, Lettie Cowman também foi uma fonte de bondade até o dia de sua morte. Quando ele estava bem de saúde, ela foi sua colaboradora no Japão. E no crepúsculo da vida de Charles Cowman, ela permaneceu leal a ele e ao Senhor, passando seis anos de sua vida levando refrigério espiritual a seu querido e agonizante marido. Ao mesmo tempo em que dirigia o lar, as finanças e a organização do ministério do marido durante aqueles anos sombrios, ela alimentava a alma dele com a verdade divina.

Oro para que seu coração se comova com a força dessa bela mulher. E tenho certeza de que você está começando a compreender como deve ser a vida de uma mulher bela aos olhos de Deus. Ela é meiga, mas é também valente (igual a um exército)! Ela é uma rocha, mas é também uma fonte de água refrescante. Impulsionada por Deus e fortalecida por um coração pleno de sua bondade, ela derrota o desânimo, obedece às instruções e termina a tarefa. Ela está trabalhando na missão dada por Deus de "fazer bem" (Provérbios 31.12) a seu marido, e leva essa missão a sério, esforçando-se fervorosamente para cumpri-la.

Eu não conheço Lettie pessoalmente e não sei como ela é por fora, mas você e eu conhecemos o seu coração. Eu não sei nada sobre seu aspecto físico, mas você e eu conhecemos sua força para suportar o sofrimento, para servir e permanecer leal ao marido até o fim. Assim como todas as belas mulheres de Deus, a Sra. Cowman passou "todos os dias da sua vida" (Provérbios 31.12) pondo em prática o plano de Deus para que ela fosse uma fonte perene de bondade para o marido. No caso da Sra. Cowman, sua vida foi realmente um manancial no deserto!

Como ser bela

Como você pode ser uma fonte perene de refrigério para seu marido?

1. Tome cuidado com os inimigos da bondade! – "Ela lhe faz bem, e não mal, todos os dias da sua vida" (Provérbios 31.12). O "bem" e o "mal" estão no mesmo versículo! São comportamentos nitidamente contrastantes – um tão desejável e outro tão detestável. Evidentemente, a possibilidade de uma esposa fazer o mal ao marido é uma realidade, caso contrário Deus não o teria mencionado. De fato, a Bíblia oferece uma profusão de exemplos disso. Analise esta lista de mulheres que não foram uma fonte de bondade para o marido:

- Eva, criada para ser a auxiliadora de Adão, convidou-o para participar com ela do pecado (Gênesis 2.18 e 3.6).
- As esposas de Salomão afastaram seu coração de Deus (1 Reis 11.4).
- Jezabel instigou o marido Acabe a cometer abominações (1 Reis 21.25).
- A esposa de Jó aconselhou-o a amaldiçoar a Deus e morrer (Jó 2.9).
- Rebeca enganou deliberadamente o marido Isaque (Gênesis 27).
- Mical desprezou seu marido Davi (2 Samuel 6.16).

Quais são as questões do coração que podem causar essa espécie de caos no casamento? Antes de tudo, a *tendência de comparar* nos leva a trilhar um caminho sombrio (2 Coríntios 10.12). Sei quanto é fácil comparar meu marido, minha vida, meu casamento, minha situação financeira (a lista é extensa demais!) com os das outras pessoas. As comparações – bem como as expectativas, os sonhos e as fantasias (elementos que já contêm em si uma boa possibilidade de futuras decepções) – rapidamente podem desviar meu coração do enfoque certo, que deveria ser o plano pessoal de Deus para *minha* vida... com *meu* marido... dentro de *minhas* condições ordenadas por Deus... à medida que cumpro *minha* missão de bondade designada por Deus.

Que tal você fazer uma pausa neste instante e render graças a Deus por seu marido e pelo caminho que Ele lhe ordenou seguir? Enquanto você ora, assuma o compromisso de abandonar sua tendência de comparar! E, ao mesmo tempo, tome a decisão de elogiar seu marido e de agradecer-lhe a contribuição que ele tem dado ao seu bem-estar.

Cultivar uma *raiz de amargura* é, com certeza, outra maneira de fomentar o mal em vez do bem. Permitir que a amargura comece a criar raízes – amargura em relação a nosso marido ou a nossas circunstâncias – causa problemas e contamina outras pessoas, principalmente as mais próximas de nós, quanto mais nosso marido e nossos filhos (veja Hebreus 12.15).

Portanto, volte-se a Deus novamente em oração e agradeça a Ele todos os detalhes de sua vida. A gratidão que leva a olhar para Deus – e não para nosso marido ou para as circunstâncias – é a arma para guerrear contra qualquer amargura que brote em nós. Tente fazer isso. Você descobrirá que não é possível ser agradecida e amargurada ao mesmo tempo!

Finalmente, tome cuidado com a *situação espiritual em baixa*. Perturbações no casamento podem gerar problemas na vida espiritual. Quando permanecemos perto de Deus – lendo sua Palavra, orando e caminhando em sua graça –, nosso coração se enche de alegria e se transforma em fonte de bondade. A oração a seguir mostra a vital ligação que há entre viver perto de Deus e ser uma fonte perene de bondade para nosso precioso marido (somente o gênero foi alterado):

Para que eu me aproxime mais de meu marido, que eu me achegue mais a ti do que a ele.

Para que eu conheça melhor meu marido, faze-me conhecer mais a ti do que a ele.

Para que eu possa amar meu marido com perfeito amor e de todo o coração, induze-me a amar a ti mais do que a ele e qualquer coisa.

Para que nenhum obstáculo exista entre mim e meu marido, permanece entre nós o tempo todo.

Para que possamos estar sempre juntos, separa-nos para vivermos exclusivamente para ti.

E quando nós nos abraçarmos, ó Deus, permite que estejamos abraçando a ti.[6]

Faça essa oração como se as palavras fossem suas. Deixe que Deus encha seu coração com o grande amor divino até que ele transborde como uma fonte de bondade na vida de seu marido. Eu a convido a fazer esta oração com freqüência!

2. Siga o plano de Deus – Nossa missão de cumprir o plano de Deus – ser uma fonte de bondade no casamento – é fortalecida por Ele quando colocamos em prática a bondade.

Planeje fazer o bem – Um sábio provérbio diz: "Acaso não erram os que *maquinam o mal*? mas amor e fidelidade haverá para os que *planejam o bem*" (Provérbios 14.22). Ao analisar esse versículo, um pregador que visitou minha igreja mencionou Adolf Hitler, o líder nazista que arquitetou o assassinato de seis milhões de judeus. O pregador disse que Hitler "maquinou o mal", que ele planejou o mal de maneira tão meticulosa quanto um noivo planeja seu casamento. O que você está planejando? Você e eu podemos planejar fazer o bem ou fazer o mal, mas, como belas mulheres de Deus, somos chamadas a fazer o *bem*! Portanto, faça disso um objetivo e decida hoje mesmo – e em todos os dias de sua vida – a fazer o bem a seu marido o dia inteiro.

Ponha seu plano em prática – Não se contente apenas em planejar fazer o bem. Leve suas intenções até o fim! Ponha seu plano em funcionamento. Espero que o *abc* abaixo ajude sua fonte de bondade a transbordar!

Alguns abcs de bondade

A Acate a liderança de seu marido. Eva causou tristeza ao coração de seu marido – e ao mundo – por não ter sido submissa a ele.

B Brinde seu marido com a alegria de um lar feliz. Não seja a esposa briguenta e desagradável de Provérbios 19.13.

C Contribua sempre para o bem espiritual de seu marido. Não o desanime a respeito dos planos de Deus, como fez a mulher de Jó (Jó 2.9).

D Discipline, eduque e instrua seus filhos. Provérbios 31 descreve os ensinamentos fervorosos que uma mãe piedosa transmite ao filho de seu marido.

E Exalte o nome de seu marido. Permita que a "instrução da bondade" (Provérbios 31.26) governe suas palavras todas as vezes que você falar dele.

F Faça elogios constantes a seu marido. Uma *boa* palavra alegra o coração (Provérbios 12.25). Faça de sua boca uma fonte de bondade!

G Grave no coração o desejo de ter um crescimento espiritual constante. Buscar ao Senhor com regularidade é a melhor maneira de ser uma fonte de bondade para seu marido.

H Habitue-se a demonstrar um comportamento estável, previsível e sereno. Não seja como Dr. Jekyll e Sr. Hyde [personagens do livro *O Médico e o Monstro*, de Robert Louis Stevenson] em sua casa!

I Inclua a oração como parte de seu ministério a seu marido. Não existe nada melhor para gerar bondade no coração de uma pessoa!

J Jamais cobice o que os outros possuem. Contente-se – e satisfaça-se – com o que seu marido lhe proporciona.

L Lembre-se de agradá-lo sexualmente. Alegre o coração de seu marido e satisfaça-o "em todo o tempo" (Provérbios 5.18-19).

M Mantenha controle das despesas da casa. Seja sensível à situação financeira de sua família.

N Nunca se esqueça de incentivar os sonhos de seu marido. Alimente as chamas de suas aspirações pessoais.

O Organize suas idéias e coloque mãos à obra para terminar este alfabeto de bondade! Leia-o diariamente e, é claro, pratique-o!

Apenas uma observação. Sei que Provérbios 31.12 refere-se ao marido mencionado no versículo 11, deixando claro que o ensinamento se aplica a mulheres casadas. Mas Provérbios 31.10-31 apresenta uma descrição minuciosa tanto da mulher solteira como da casada. Lembre-se de que o jovem que ouve as instruções da mãe é solteiro, e ele terá de encontrar essas virtudes em uma mulher que não é casada! Evidentemente, o plano de Deus para todas as mulheres – casadas ou solteiras – é que sejam uma fonte inesgotável de bondade!

Um convite à beleza

Agora, minha bela amiga, será que você é capaz de, contemplando os maravilhosos olhos de amor e de sabedoria de Deus, tomar a decisão de fazer bem (e não mal) a seu querido marido? Mesmo que ele não lhe seja tão querido neste momento, você deve continuar a ser uma fonte de bondade para ele. Afinal, seu marido faz parte do plano soberano de Deus para transformá-la em uma mulher mais bela ainda. Essa transformação pode exigir um pouco mais de maleabilidade, um pouco mais de esforço, mas certamente significará um pouco mais da dependência da maravilhosa misericórdia de Deus. Saiba que bênçãos indescritíveis a esperam se você seguir o plano de Deus para atingir o grau máximo de beleza, e esse plano inclui fazer bem a seu marido.

Portanto, independentemente da situação de seu casamento, entenda que seu marido é aquele a quem Deus deseja que você dedique todos os dias de sua vida fazendo o bem. Busque o auxílio que vem do Senhor, a força do Senhor (Salmo 62.7) e a mente do Senhor (1 Coríntios 2.16), e Ele a sustentará. Aquele que sempre é fiel fará sua fonte de bondade transbordar.

6
Uma Fonte de Alegria

Seu Coração

"Busca lã e linho, e de bom grado trabalha com as mãos."
Provérbios 31.13

Acompanhe-me por alguns instantes na caminhada que Jim e eu fizemos pelas ruas da antiga Jerusalém. Não foi um passeio agradável (cheio de aventuras, sim; educativo, sim; agradável, não!), porque nossos sentidos foram invadidos por uma enorme variedade de imagens, de sons... e de odores!

Havia aglomerações por toda parte – pessoas apressadas fazendo compras e colidindo conosco, vendedores ambulantes e mascates gritando e nos agarrando quando passávamos por eles. Animais usados para transporte e para entrega de mercadorias emitiam sons diversificados, deixando sujeira e mau cheiro para trás! Carnes cruas cobertas de moscas envelheciam e ficavam malcheirosas com o calor do dia. Legumes e frutas também começavam a murchar e a exalar cheiro forte e desagradável.

Em meio a um mar de gente, centenas de ônibus lançando fumaça preta no ar despejavam turistas nas ruas. Caminhões de lixo movidos a óleo *diesel* contribuíam para aumentar a poluição, e, de longe, ouviam-se ruídos de construções em andamento. Acrescente a essa cena o calor do meio-dia, o sol inclemente e uma sede insuportável – e você terá uma idéia de nossa experiência ali. E não havia nenhum sinal de alívio à vista!

Então, nosso guia, Bill, conduziu-nos por uma das inúmeras portas fechadas que se enfileiravam pelas ruas da Cidade Velha... em direção ao paraíso! De repente – em uma fração de segundo – estávamos diante do pátio murado de uma casa com jardim florido e gramado verde e viçoso. Videiras em flor cresciam pelos muros à sombra de várias oliveiras e palmeiras. Sete colunas sustentavam o segundo pavimento de uma estrutura de três lados em formato de U (eu me lembrei da casa mencionada em Provérbios 9.1!), e seus graciosos arcos produziam sombra em uma das alamedas do jardim. Bem no centro desse cenário encantador, havia uma fonte! Imagine – sombra, água fresca, gramado e folhagem verdejante depois da poeira e do calor da rua! Imagine – silêncio depois do vozerio do povo, dos mascates e dos animais! Sim, era um verdadeiro paraíso!

Quero, porém, falar mais a respeito daquela fonte. Seguindo a arquitetura tradicional da época, a casa inteira, a varanda, o jardim e as alamedas foram construídos ao redor da fonte.[1] Borbulhando como que emitindo alegres canções, ela proporcionava o único som que ouvíamos. Com o fluir de suas águas agitadas, aquela fonte dizia: "Bem-vindos a um lugar onde tudo é bem cuidado e onde o cuidado é encontrado em toda parte!"

Quando penso naquela fonte, minha querida, penso em você e em mim. Ora, como belas mulheres de Deus, você e eu devemos ser a fonte de alegria em nosso lar, o ponto de convergência de tudo o que é belo e o centro de tudo o que acontece ali. O capítulo 31 de Provérbios diz que devemos ser uma fonte de alegria – de vida, de amor, de sustento – aos outros. Oro para que cada uma de nós seja uma fonte de alegria e de energia e tenha um coração transbordante de júbilo em nosso lar; que sejamos mulheres esforçadas, fervorosas e diligentes que, trabalhando com disposição e entusiasmo, façamos e continuemos a fazer de nossa casa um lar.

Uma trabalhadora dedicada

O ingrediente principal para o sucesso em qualquer empreendimento é trabalhar bastante, e isso se aplica especialmente quando se trata de administrar uma casa. Neste versículo, ao pintar o retrato da mulher de Provérbios 31, a mãe sábia descreve a atitude que a mulher ideal aos olhos de Deus deve ter em relação ao trabalho: "Busca lã e linho, e de *bom grado* trabalha com as mãos" (Provérbios 31.13, grifo meu)! A esposa certa para seu filho deveria ter disposição para trabalhar com diligência e entusiasmo. Ela literalmente "põe a mão na massa *com alegria*"[2] e torna suas mãos "ativas por sentir prazer no coração".[3]

Em que tipo de atividade essa mulher diligente está envolvida? Tecer é uma parte importante do trabalho que a mulher de Provérbios tem de fazer (vv. 13, 18, 19, 21, 24). As mulheres judias daquela época eram responsáveis pela confecção das roupas para a família,[4] e a lã e o linho eram os dois elementos básicos para o trabalho de tecelagem. Portanto, com energia e entusiasmo, ela "busca lã e linho" (Provérbios 31.13). Depois de reunir esses materiais em estado bruto, a bela mulher de Deus realiza um processo inteiro de manufatura. Ela começa a trabalhar com os materiais em estado bruto até transformá-los em roupas – escolhe, compra, processa, tinge, fia, tece e confecciona a roupa. E Provérbios 31.13 diz que ela faz tudo isso de bom grado e com o coração feliz!

De acordo com o que lemos sobre a história de Israel, a maioria das roupas das pessoas era feita de *lã*. O manto grande usado por cima da roupa, muito comum naquela região, exigia essa fibra forte e quente. As pessoas dispostas a fazer o trabalho – e a bela mulher de Deus é bem disposta! – tingiam a lã enquanto a preparavam. Sob o olhar atento e nas mãos hábeis da mulher de Provérbios 31, os fios adquiriam as cores escarlate (v. 21), amarelo-canário, púrpura (v. 22) e vermelho-vivo. Depois disso, os fios estavam prontos para passar por suas mãos criativas, primeiro sendo tecidos e depois transformados em roupas. Adornada com essas cores, sua família constituía uma obra de arte espetacular, tendo como pano de fundo aquela terra *banhada* pelo sol.[5]

A mulher de Provérbios 31 também trabalha com *linho*. Ela usa suas delicadas fibras para fiar, mas o linho precisa ser colhido, separado, torcido e alvejado antes de ser transformado em finas roupas de cama e mesa e usado para fazer mantos, túnicas e roupas de dormir (v. 24). O processamento do linho envolve o trabalho penoso de secar, descascar, bater, pentear e, finalmente, fiar. Quanto mais o linho é batido, maior é o seu brilho.[6] Mas nenhum trabalho era demasiadamente penoso para a nossa trabalhadora modelo, alegre e dedicada!

Uma trabalhadora em favor da beleza

Muitas mulheres realizam as tarefas domésticas porque precisam, porque isso faz parte de sua condição de dona-de-casa ou por pura obrigação. Porém, a mulher que é bela aos olhos de Deus atira-se de corpo e alma ao trabalho. Assim como a fonte no centro do jardim, ela canta, cantarola e assobia enquanto trabalha, apreciando cada tarefa que faz. Ela põe em prática a exortação de Deus: "Tudo quanto te vier à mão para fazer, faze-o conforme as tuas forças" (Eclesiastes 9.10). Sem reclamar da vida, ela dá um bom exemplo e sente satisfação no trabalho que faz com as mãos. Com zelo, entusiasmo e disposição, ela põe o coração no trabalho. Ela se empenha e não se limita a simplesmente fazer o que é necessário, mas trabalha com dedicação e alegria!

O coração de nossa bela mulher é uma fonte de alegria. Ela tem um coração que ama seu Deus (v. 30), ama sua família (vv. 28, 29) e ama seu lar (v. 27). Agraciada com esse amor no coração, sua vida transborda de energia, diligência, encanto e criatividade. Seu coração dedicado transforma sua maneira de encarar as tarefas domésticas, até mesmo as enfadonhas. Essa alegria vibrante em seu coração fortalece suas mãos para o trabalho.

Alguns estudiosos traduziram e interpretaram o versículo 13 com o sentido de que a mulher de Provérbios 31 trabalha com o *prazer* de suas mãos, com mãos *dedicadas*, com mãos *felizes*, com mãos *inspiradas*![7] Gosto de todas essas idéias e das atitudes que elas refletem, e espero que você entenda o significado disso. O coração alegre e as mãos fortalecidas por essa alegria deixam lindo tudo o que essa mulher toca.[8]

Como ser bela

Quando penso na bela mulher aos olhos de Deus, na grande energia e no evidente júbilo que distinguem seu modo de trabalhar, desejo ser igual a ela! Desejo ter a mesma energia e alegria quando começo a fazer uma tarefa – e tenho certeza de que você também quer isso. Tenho posto em prática, ao longo dos anos, aquilo que chamo de "posturas auxiliadoras". Além de me cingirem de força para terminar as tarefas mais rápido, essas "auxiliadoras" também me ajudam a trabalhar com disposição e alegria. Espero que estas idéias também colaborem para que sua fonte de alegria borbulhe e transborde!

1. Ore diariamente – Ore por aqueles a quem você serve e por você mesma. Ore especificamente por sua atitude em relação ao trabalho. A oração tem o poder de modificar tudo, porque Deus ouve e responde. Nosso Senhor pode transformar seu coração em uma fonte de alegria. A oração pode dar-lhe a possibilidade concedida por Deus de transportar os deveres domésticos do âmbito físico para o âmbito espiritual (veja Colossenses 3.23 e o item 3 abaixo).

2. Recite passagens bíblicas – Faça uma lista dos versículos extraídos da Palavra de Deus que possam servir-lhe de estímulo para trabalhar com alegria. Meu favorito é Salmo 118.24 – "Este é o dia que o Senhor fez; regozijemo-nos e alegremo-nos nele." Quando gravamos versículos como esse no coração e os recitamos enquanto trabalhamos, nós nos alegramos sempre no Senhor (Filipenses 4.4)!

3. Trabalhe como se estivesse trabalhando para o Senhor – Quando a situação parece insuportável e começo a ver as coisas de maneira distorcida, outro versículo vem em meu socorro. Colossenses 3.23 diz: "Tudo quanto fizerdes, fazei-o de todo o coração, *como para o Senhor, e não para homens*" (grifo meu). Jamais me esqueço de que o próprio Deus é o objetivo *do que* faço, é para *quem* e é o *por quê* de meu trabalho! Lembrar isso preenche meu coração vazio com alegria renovada.

4. Faça suas tarefas com determinação – Ao enfrentar cada tarefa, opte conscientemente por fazê-la com energia, com criatividade e com alegria.

Com energia – Seja qual for a tarefa, aceite o desafio e faça-a "conforme as tuas forças" (Eclesiastes 9.10)! Foi assim que Neemias e o povo iniciaram a tarefa de reconstruir os muros de Jerusalém (Neemias 2) – com "ânimo para trabalhar" (4.6)! Eles tinham uma missão a cumprir! E você também tem!

Com criatividade – Thomas Kinkade, o famoso "artista da luz", iniciava cada nova pintura com criatividade no coração. Ele adquiriu essa maneira de ser ao estudar arte durante um período de sua vida em que trabalhava em um posto de gasolina. Ouça o que ele diz:

> O trabalho era enfadonho; o período de trabalho, inadequado; o pagamento, ínfimo. O ambiente de trabalho era sujo; a clientela, irritada. Mesmo assim, eu conseguia encontrar alegria naquele trabalho. Eu observava aquele desfile interminável de gente entrando e saindo e criava histórias em minha mente sobre eles, gravando um esboço de cada um em minha memória. Eu me desafiava a descobrir quanto tempo levaria para fazer o troco ou para zerar o marcador das bombas. Sentia prazer em servir, em saber que estava ajudando as pessoas a atravessarem o dia.[9]

Como você sabe, Thomas Kinkade foi um artista criativo. Mas ele também foi um trabalhador criativo, que demonstrou ter um coração cheio de ternura!

Com alegria – Assim como o coração da bela mulher de Deus é uma fonte de alegria, o seu também deve ser. Às vezes, quando leio o versículo que fala da alegria em seu coração, sinto uma ponta de ciúme. Quero ter essa mesma alegria, sua disposição para trabalhar, o prazer que ela sente por fazer suas tarefas com amor. Penso que a chave para essa alegria está no fato de que ela olha para seu trabalho com expectativa, não com apreensão. Ela considera suas tarefas como desafios, não como um trabalho penoso. Sua atitude positiva origina-se não somente do amor pela família, mas também do hábito de olhar para cada tarefa da vida com alegria, decidindo fazê-la, e bem, como para o Senhor, gostando de realizá-la!

5. *Olhe para os benefícios* – Aprecio muito estes pensamentos de Edith Schaeffer, uma mulher que aprendeu a gostar do trabalho de servir ao marido todas as tardes uma bandeja com chá, atendendo a um desejo dele. Veja como ela encarava sua tarefa e os conseqüentes benefícios:

> Primeiro, eu digo silenciosamente ao Senhor: "Obrigada por esta maneira *prática* de *Te* servir chá... Obrigada por deixares evidente que, quando fazemos alguma coisa... a serviço de outras pessoas, estamos fazendo isso para Ti."
>
> Segundo, começo a me lembrar de algo mais ou menos assim: "Fran [o marido dela] precisa mesmo de [...] um pouco de descanso... de um pouco de açúcar no sangue... e também de boa nutrição para enfrentar o que vem a seguir."
>
> Terceiro, subo a escada [...] pensando: "O que pode nos deixar com a cintura fina? Aqui estou eu fazendo meus exercícios aeróbicos, subindo e descendo a escada."[10]

Edith enxergava os benefícios que recebia ao servir outras pessoas. Essa atitude pode aliviar o peso de suas tarefas (e das minhas) da mesma forma que aliviou o peso das tarefas dela.

6. *Faça uma pausa e descanse* – Não há nada errado com um bom descanso. Deus adverte contra a preguiça (Provérbios 31.27) e contra as mãos que se recusam a trabalhar (Provérbios 21.25), mas Ele nunca condena nossa necessidade física de descanso. Portanto, faça uma pausa quando for necessário e renove suas forças no Senhor (Isaías 40.31). Reserve algum tempo para um cochilo durante o dia, se isso lhe der mais ânimo para trabalhar.

7. Tome cuidado com o que você come! – Em determinado ano, quando eu estava lendo a Bíblia, marquei todas as referências a comida na Palavra e descobri que o alimento é um assunto importante nas Sagradas Escrituras. Aquilo que comemos também é importante para nós. O objetivo deve ser alimentar-se para ter energia e saúde. Para saber se você está alcançando esse objetivo, habitue-se a observar seus níveis de energia. O alimento que você ingere lhe dá energia ou sono? É necessário ter energia física para fazer as tarefas designadas por Deus com disposição, ânimo, alegria e vigor. Veja se você está proporcionando a seu corpo aquilo de que ele necessita.

8. Valorize cada dia - Eu escalei Masada dando um passo por vez, e é assim que você e eu conseguiremos alcançar os padrões de excelência da bela mulher de Deus. A mulher de Provérbios 31 recebe elogios de seus filhos, e seu marido a louva (vv. 28-31). Ela conseguiu isso fazendo seu trabalho com dedicação, um dia por vez, uma tarefa por vez. A maneira como vivemos cada dia é nosso "Um passo de cada vez" para alcançarmos os padrões de excelência dessa mulher e os elogios que ela recebe.

O que você pode fazer hoje? Como você viverá? Deseja caminhar próxima do Senhor? Saiba que Deus usará este período de 24 horas para fazer de você a pessoa que Ele deseja. Na economia de Deus, nada se perde; portanto, Ele certamente não permitirá que o dia de hoje – com todas as tarefas que ele trouxer – seja em vão!

Um convite à beleza

Que bênção saber que você e eu podemos trazer um presente para nossa casa que ninguém mais tem condições de oferecer – o presente de um coração pleno de alegria! Seu coração feliz é um ministério para as pessoas da casa, para o local da casa e para o trabalho da casa.

Um coração feliz pode ajudá-la a encontrar alegria nos trabalhos domésticos. Afinal, cada tarefa feita com o coração cheio de júbilo abençoa grandemente aqueles a quem você ama e serve. Quando você serve com o coração alegre, está proporcionando refrigério e vigor a almas cansadas e espíritos angustiados. Assim como uma fonte de água refrescante nas ruas empoeiradas e secas como um deserto, o coração que possui o amor de Deus faz bem à vida e à saúde. Além disso, quer você saiba ou não, minha querida, a atitude de seu coração determina quanto você gosta de seu trabalho e como será o ambiente de sua casa. Quando você trabalha com disposição, com o coração feliz, torna-se uma bela fonte de alegria para todos, uma fonte da alegria concedida por Deus!

7

Um Espírito Empreendedor

Sua Provisão

"E como o navio mercante, de longe [ela] traz o seu pão."[1]
Provérbios 31.14

Em um determinado Natal, Jim e eu fomos convidados para uma festa ao ar livre na casa de uma senhora muito consagrada, aluna da classe de adultos da Escola Dominical da igreja que Jim pastoreava. Os convidados revezavam-se para rememorar histórias de Natal dos tempos de infância. Nossa anfitriã também contou sua história e descreveu um costume do país onde foi criada: na véspera de Natal, as famílias abastadas da cidade abriam as cortinas da sala e permitiam que o povo encostasse o rosto nas janelas para conhecer os requintes da casa. Quando era criança, nossa amiga espiou muitas vezes, através dos vidros chanfrados, o interior daquelas residências para admirar os móveis, as decorações, as árvores de Natal e a comida sobre a mesa. Naquela única ocasião do ano, ela recebia permissão para olhar pela janela e admirar a riqueza das pessoas que moravam na casa.

Enquanto você e eu refletimos sobre como a bela mulher aos olhos de Deus servia sua família, sinto que Ele está permitindo que encostemos o rosto na vidraça da casa dela. Através da janela de sua Palavra, Ele nos dá um vislumbre de como era o espírito empreendedor daquela mulher e da influência que ela exercia sobre sua família. Encontramos em sua casa tudo o que se possa imaginar em termos de beleza e de provisão. A bela mulher aos olhos de Deus não poupa esforços para proporcionar o melhor possível para sua amada família.

Espírito de aventura

Em Provérbios 31.14 lemos: "E como o navio mercante..." A princípio, esta imagem talvez não pareça atraente, mas pense por alguns instantes e observe como a mulher que é bela aos olhos de Deus se parece com um navio mercante. É fácil imaginar, por exemplo, que ela vasculha as feiras à procura de produtos que proporcionarão melhoria na qualidade de vida dos que habitam sob seu teto. Ela não poupa dinheiro, nem tempo, nem esforço, quando se trata de contribuir para o bem-estar de seus queridos.

"[...] de longe [ela] traz o seu pão", prossegue o versículo 14. A mulher de Provérbios 31 gasta energia alegremente para conseguir mercadorias especiais de outros lugares do mundo para sua casa – e elas vieram de muito longe. Analise o processo inteiro!

Os navios – Os navios mercantes navegaram entre a Fenícia e o Egito desde 2400 a.C. Quando paravam em cada porto do Mar Mediterrâneo, eles trocavam suas cargas por outras mercadorias. Em 2 Crônicas 9.21, lemos que esses navios mercantes completavam sua rota a cada três anos.

As mercadorias – As longas esperas, porém, compensavam, porque os navios traziam mercadorias raras para todos da casa. Os navios que seguiam para Társis (hoje Espanha) traziam ouro, prata, marfim, bugios e pavões (2 Crônicas 9.21). O cedro vinha do Líbano. As tintas vinham de Tiro. Especiarias, frutas secas, perfumes e grãos vinham do Egito. A Grécia contribuía para o mercado internacional com óleo, vinho, mel e peças delicadas de cerâmica. Todos os artigos de lã, peças de arte, objetos de artesanato e jóias delicadas eram transportados – algumas vezes por caravanas no deserto, outras por barcos que atravessavam canais e rios – aos portos de cada continente para serem carregados nos navios mercantes.

As estradas – As mercadorias deixadas nos portos eram transportadas por caravanas às cidades afastadas do litoral. Caravanas e mais caravanas de camelos afluíam à terra natal da bela mulher de Deus. Ao longo da História, Israel tem sido a principal rota do comércio de mercadorias do Oriente Médio. Quando estive lá, viajei pela King's Highway (Auto-estrada do Rei) e pela Great Trunk Road (Rodovia dos Grandes Caminhões), as duas principais rotas que tornaram a Terra Prometida um centro mundial de comércio.

As lojas – Depois de serem transportadas por navios e caravanas, as mercadorias do mundo inteiro chegavam a lojas de todos os tamanhos, formatos e estilos. As lojas fixas, em praças ou ruas, eram abertas ao público, criando um centro de comércio em um ponto central da localidade. As lojas ambulantes eram instaladas ao ar livre nas ruas, sob toldos improvisados, perto dos portões da cidade. Todas as vezes que uma caravana de camelos chegava, procedente de lugares distantes do Sul, como Sabá (hoje Irã), ou do Extremo Oriente, como a Babilônia e a Índia, formava-se imediatamente um ponto de comércio no local em que os camelos ajoelhavam-se. Imagine o burburinho de empolgação quando as mercadorias – alimentos, utensílios de lata, artigos de couro, doces e outras raridades valiosas – chegavam às ruas do povoado nos lombos dos camelos!

Espírito consciente de sua missão

Agora, minha paciente amiga, vamos ver mais de perto como a bela mulher de Provérbios 31 – *igual* aos navios mercantes – trabalha na missão de ir buscar muito longe as mercadorias para sua casa. *Sua família* é o principal motivo dessa jornada. Ela tem bocas para alimentar e uma casa para mobiliar e decorar – e, segundo seu modo de ver, seus queridos merecem o melhor. Motivada por um coração transbordante de amor, ela caminha quilômetros e mais quilômetros para proporcionar o melhor para sua família.

A mulher de Provérbios 31 também é motivada pela *criatividade*. Ela é uma artista! Eu vou dar-lhe um exemplo. Pelo fato de sua casa não ter geladeira, ela compra diariamente os ingredientes necessários para as refeições. A responsabilidade poderia facilmente se transformar em uma carga pesada, mas a idéia de comprar mercadorias importadas alimenta sua imaginação – e a de sua família – e permite que ela manifeste sua criatividade no dia-a-dia da vida. Naquelas barracas, ela descobre cor, beleza e variedade, peças inusitadas e delicadas. A aventura estimula criatividade nas receitas e nas refeições, no trabalho de tecelagem e na arrumação da casa. A provisão rotineira e diária de bens materiais passa a ser uma aventura criativa para ela!

Espírito de satisfação

Este livro trata da beleza aos olhos de Deus, e aqui estamos nós falando de... compras!? Pense, porém, por que o espírito empreendedor dessa mulher, bela aos olhos de Deus, a diferencia das outras mulheres. Assim como os navios mercantes de sua época, ela iça as velas e navega, navega... buscando... procurando... vasculhando... e conseguindo o que deseja para oferecer à sua família. Motivada pelo amor aos que lhe são caros, ela parte para a missão com vigor e expectativa, disposta a explorar um pouco mais além do rotineiro mercado da vizinhança. Ela "navega" a lugares longínquos da cidade e retorna com a sacola abarrotada de tudo o que sua família necessita. Assim que empreende essa "viagem", essa dona-de-casa especial sente satisfação por poder proporcionar à sua família o que existe de melhor.

- Sob seu teto existe saúde, porque ela serve alimentos nutritivos a sua família.
- Suas pesquisas, pechinchas e trocas de mercadorias para suprir o que é essencial e belo para seu lar resultam em economia.
- A cultura entra pelas portas de seu lar, porque ela leva para casa não apenas mercadorias de lugares longínquos e exóticos, mas também as histórias que ouviu e as informações que recebeu enquanto fazia compras.
- A variedade de mercadorias anima a todos da casa, quando ela chega trazendo de longe alimentos e artigos variados.
- Produtos de boa qualidade são apreciados por todos por causa de seu olho atento e comportamento inflexível.
- A beleza satisfaz, revigora e faz bem à alma de todos os que habitam sob seu teto.

Como ser bela

A esta altura, você e eu podemos perceber que o espírito empreendedor que Deus nos transmite neste capítulo não é conseguido sem esforço. Um barco a vela não singra rapidamente os mares de maneira natural ou automática só por estar com as velas içadas! A beleza tem um preço para a mulher de Provérbios 31 (e para nós também). Sentindo a brisa produzida pela atividade daquela mulher e desejando seguir o rastro deixado por sua energia e realizações, veja como – pela graça de Deus – você também poderá ter um espírito empreendedor e içar as velas sozinha.

1. *Um coração de amor é o primeiro da lista*. Sem amor, não somos nada (1 Coríntios 13.2), e, eu acrescento, sem amor, não vamos querer fazer nada! Portanto...

Ore. Peça a Deus que lhe mostre e cure qualquer área de seu coração que a esteja impedindo de demonstrar amor como esposa, mãe e dona-de-casa.

Faça de seu lar uma prioridade. Mesmo que você não se sinta como gostaria dentro das quatro paredes de seu lar, faça o possível para amar os que ali residem. Sua família – não seu emprego ou profissão, seu passatempo ou trabalho voluntário – deve ocupar o primeiro lugar em seu coração!

Passe algum tempo com outras mulheres. Ouça com atenção o que dizem outras mulheres, quando falam do marido, dos filhos e do lar (Tito 2.3-5). Você descobrirá que o entusiasmo delas é contagiante.

2. Um pouco de graciosidade dá asas a um espírito empreendedor. A bela mulher de Deus aprecia a beleza e o bem-estar de todos os que são tocados por ela. Como uma pessoa criativa, cultive um pouco de graciosidade e ofereça à sua família manifestações pessoais de beleza.

Cerque-se de coisas belas. Quando esteve confinado ao leito em seus últimos anos de vida, o grande artista impressionista Henri Matisse pediu que seu quarto fosse ornamentado com plantas exóticas e aves de penas coloridas. Essas plantas e aves estimularam a arte que ele produziu em seu leito durante aqueles últimos anos. Inspirada em Matisse, pintei de vermelho as paredes de meu escritório, pendurei nelas meus quadros e pinturas favoritos e decorei-as com objetos (um calendário exibindo a grande arte do mundo, um vaso de cristal solitário sempre com uma rosa recém-colhida, uma pedra encontrada por minha tia nas campinas do oeste do Texas e pintada com um gatinho cochilando dentro de um cesto), coisas que me forçam a ser mais criativa. Nesse ambiente aconchegante de beleza, eu procuro produzir o que é belo. Meu escritório convida-me a escrever.

Faça da graciosidade uma realidade. Passe um pouco de tempo com pessoas que criam coisas belas. Leia revistas. Visite lojas de artigos para presente e compareça a feiras de utilidades domésticas. Preste atenção a qualquer objeto gracioso que encontrar ao longo do caminho e aprenda com aquilo que você vê. Transforme a mobília e a decoração de sua casa em uma manifestação de beleza.

Lembro-me muito bem de quando voltei para casa após ter visitado uma senhora que sabia admirar o que é belo. Essa visita modificou meu modo de ser. Quando cheguei à porta de entrada de sua sala de estar e vi os objetos delicados que me davam as boas-vindas àquele refúgio que ela criou para sua família, eu pensei: *Ela é uma verdadeira artista!* Minha reação inicial não foi pensar no dinheiro gasto. Eu não pensei: *Veja as coisas que ela comprou!* Fiquei surpresa com a arrumação dos objetos – toques de graciosidade, como, colocar no braço da poltrona uma peça de crochê feita por sua avó, deixar à mostra uma concha encontrada na praia, instalar uma lâmpada de abajur iluminando uma mesinha e uma samambaia em miniatura. Ela também havia retirado algumas cortinas para que os vasos de lírios em flor, enfileirados em sua varanda, parecessem fazer parte da sala. E as vidraças brilhavam de tão limpas. Aquela senhora, que possuía graciosidade, escolheu o que tinha em mãos, deu um toque pessoal e deixou tudo maravilhoso!

3. A ordem de Deus para amar sua família nas coisas corriqueiras do dia-a-dia lhe mostra o caminho para ter um espírito empreendedor.

Comece pelos elementos básicos. Todas as pessoas necessitam de elementos básicos, como comida, roupas e abrigo. Um autor pergunta: "Você está muito cansada para cozinhar e para manter a casa em ordem? Deseja comer fora todos os dias?"[2] Ou você está suprindo com entusiasmo as necessidades básicas de sua família?

Seja uma compradora sábia. Concentre-se em economizar dinheiro. Procure artigos em oferta. Evite comprar por impulso e analise cuidadosamente cada compra (Provérbios 31.16). Veja o que é necessário e o que não é. Aprenda a distinguir um artigo de qualidade e também a dizer não! Lembre-se de que uma das chaves para a boa administração das finanças é: todo dinheiro não gasto é dinheiro poupado! Às vezes, decido não comprar absolutamente nada. Outras, eu compro por meio de catálogos, economizando tempo e a tentação de andar pelas lojas e *shoppings*. Há, ainda, ocasiões em que eu vejo quantos artigos posso tirar do carrinho antes de passar pelo caixa; depois, calculo mentalmente quanto poupei.

Procure artigos raros. Espere um pouco mais e procure até encontrar alguma coisa básica que também seja rara. A mulher de Provérbios 31 faz as compras no *comércio* da cidade, mas ela também procura artigos *extravagantes*! Por ser uma artista, ela sabe escolher coisas raras. Ela adora pegar um artigo diferente, importado, algo que possa provocar exclamações de espanto e de alegria na família e nos amigos – e isso é gratificante para seu espírito empreendedor!

Leve em consideração a permuta. Relacione suas habilidades e procure aperfeiçoá-las. Elas serão sua moeda de troca para você adquirir o que necessita. Pense no que está faltando em sua casa e no que você pode oferecer em troca para adquiri-lo. Permutas dessa natureza foram úteis para mim. As gravações em cassete de meu livro *Loving God with All Your Mind* [3] (Como amar a Deus de todo o coração) foram transcritas pela esposa de um seminarista da Nova Zelândia em troca de um carro usado que meu marido cedeu ao marido dela por três anos. Eles necessitavam de um carro – e não tinham dinheiro. Eu necessitava de ajuda para meu livro – e não tinha dinheiro (ou tempo). Fizemos uma permuta!

Seja uma "artista residente". Pense na possibilidade de assumir o compromisso de levar beleza a seu lar. Minha amiga Karen – artista residente em seu lar – levanta-se uma vez por semana às 4 horas da madrugada e vai ao mercado, no centro de Los Angeles, a fim de comprar flores para enfeitar sua casa, a varanda e o terraço. (Ela também compra flores e faz buquês para as pessoas que estão precisando de um pouco de beleza para animá-las.) Quando ligo para ela às 7h30, Karen já está em casa, trabalhando ativamente para dar um toque de beleza aqui e ali – e ela faz isso gastando uma ninharia! Karen lança um desafio a si mesma para fazer algo novo e criativo em seus arranjos florais, semana após semana. Siga o exemplo de Karen e imagine o que você – a artista residente em sua casa – pode criar ali em termos de beleza. Pergunte a si mesma: "Que área de minha criatividade eu poderia trabalhar ainda mais para aperfeiçoá-la e desenvolvê-la?"

Um convite à beleza

Agora, minha bela amiga empreendedora, é hora de esquadrinhar os olhos de amor de Deus e entender o que Ele deseja para sua vida. Por meio de sua Palavra, nosso sábio Pai a exorta a ser uma dona-de-casa empreendedora e uma esposa que acrescente um toque de beleza a seu lar. Essa exortação requer um pouco de esforço, mas é verdadeiramente uma grande bênção!

Será que seu coração está em sintonia com o grande coração de amor de Deus? Você deseja o bem-estar daqueles que Deus colocou sob seus cuidados? Está dando o melhor de si para suprir as necessidades de sua família? Provérbios 31.14 – embora apresente a figura simbólica de um navio mercante – trata, na verdade, de assuntos do coração, de assuntos de amor. Ora, somente o amor – o amor misericordioso de Deus – pode motivá-la a deixar de lado o egoísmo e pôr em prática a energia física necessária para servir a outras pessoas. E somente o amor de Deus, que flui e transborda em seu coração, pode dar-lhe o suporte emocional necessário para que você tenha paz de espírito e leve adiante a difícil missão de ser uma empreendedora decidida a fazer o bem a outras pessoas.

Que tal pedir a Deus que lhe dê mais determinação e energia renovada para sair em busca da maravilhosa – e difícil – virtude de um espírito empreendedor? Verdadeiramente, isso é lindo aos olhos de Deus!

8

Um Exemplo para a Família

Sua Disciplina

"É ainda noite, e já se levanta, e dá mantimento
à sua casa, e a tarefa às suas servas."[1]
Provérbios 31.15

Eu não consegui dormir – e o motivo foi um extremo cansaço decorrente da viagem! Jim e eu havíamos chegado a Jerusalém no dia anterior, depois de 15 horas de vôo e uma escala em Londres. Fazia horas que estávamos acordados, no quarto de hotel da Cidade Velha de Jerusalém, apenas aguardando o dia clarear para trocarmos de roupa e iniciarmos nosso curso de 21 dias na Terra Santa. Estávamos cansados demais na véspera para apreciar grande parte do que nossos olhos embaçados conseguiram captar, mas agora estávamos prontos – se o sol aparecesse!

Assim que começou a clarear, subimos até a cobertura do hotel. Em pé, lado a lado, observando o amanhecer, ouvimos os sinos das igrejas tocando em locais distantes da Cidade Velha, saudando o novo dia. Quando o céu começou a clarear no lado leste, conseguimos enxergar os muros centenários que cercavam a Cidade Velha de Jerusalém, as bandeiras tremulando no topo da Cidadela de Davi e um panorama do Monte do Templo, por onde Cristo andou – e por onde andará novamente. Foi uma cena de tirar o fôlego: estávamos contemplando lugares que não haviam mudado nada durante séculos e séculos! Estávamos em Jerusalém!

De repente, eu a vi. Na cobertura de uma das casas da vizinhança, havia uma mulher trabalhando diligentemente. As roupas já estavam dependuradas no varal. A porta da frente foi aberta para permitir que o ar da manhã refrescasse a casa de pedra antes que o dia começasse a esquentar. O piso da varanda já havia sido esfregado e lavado, e agora ela estava trabalhando na cobertura da casa. Depois de colher algumas flores que cresciam em vasos, ela as levou para dentro de casa e colheu alguns limões maduros do limoeiro plantado na cobertura de sua casa.

Essa oportunidade de observar como era a vida real de uma mulher judia trouxe-me à mente Provérbios 31.15 – "É ainda noite, e já se levanta, e dá mantimento à sua casa, e a tarefa às suas servas." Aquela cena espetacular me deixou feliz por eu ter saído cedo da cama (embora o maior responsável tenha sido o cansaço da viagem!), mas naquele momento senti as forças renovadas ao ver aquela mulher trabalhadora. Decidi pôr em prática o exemplo de uma vida disciplinada, que é lindo aos olhos de Deus.

Obrigada, Senhor Deus, eu murmurei, *pela Bíblia tornar-se viva diante de meus olhos! Obrigada por vislumbrar isso aqui em tua terra, de uma mulher que se levanta cedo e zela carinhosamente por sua casa.*

Este capítulo fala de como você e eu podemos zelar carinhosamente por nossa casa. A bela mãe que ensina ao filho o *abc* da mulher piedosa (Provérbios 31.10-31) conhece perfeitamente os benefícios que uma mulher disciplinada pode trazer ao lar, e ela apresenta ao filho (e a nós!) três disciplinas para o sucesso da mulher na administração da casa.

Disciplina nº 1: Levantar-se cedo

De acordo com Provérbios 31.15, a mulher que é uma bênção para seu lar se levanta enquanto ainda é noite. Nos tempos em que Provérbios 31 foi escrito, a mulher se levantava cedo por vários motivos.

Zelar pelo fogo da casa – Antes de tudo, ela cuidava da lamparina. Essa pequena lamparina (mais precisamente, um pires com óleo no qual flutuava um pavio de linho) queimava a noite inteira e, por meio dela, o fogo da casa era aceso de manhã. A bela mulher de Deus levantava-se várias vezes durante a noite e completava o óleo para que a lamparina não se apagasse (Provérbios 31.18). Essas ocasiões em que ela se levantava eram também oportunidades ideais para adiantar o preparo da comida para o dia seguinte. Ela moía um pouco de milho, organizava algumas coisas e acendia o fogo.

Zelar pelo fogo que arde em seu coração – Provérbios 31.30 diz que a bela mulher de Deus teme ao Senhor, e o fato de levantar-se cedo dava-lhe tempo para fazer as orações diárias e guardar a Lei de Deus. Ela sabia que a Lei ordenava amar a Deus de todo o coração, de toda a alma e de toda a força (Deuteronômio 6.5). A mulher de Provérbios 31 não deve apenas manter aceso o fogo da casa, mas também o fogo que arde em seu coração pelo Senhor.

Zelar pelo fogo que arde no coração de sua família – Essa mulher piedosa também sabe que a Lei de Moisés a instruiu a ensinar e educar seus filhos nos caminhos do Senhor (Deuteronômio 6.7). A bela mulher de Deus enche, em primeiro lugar, seu coração com as verdades de Deus. Depois, de maneira semelhante à da mãe que instrui seu filho em Provérbios 31, a bela mulher de Deus ensina essas verdades a seus filhos e fala delas o dia inteiro na sala de aula chamada "lar".

Acordar cedo é essencial quando tarefas cruciais como essas fazem parte de sua lista de atividades diárias!

Disciplina nº 2: Dar mantimento à família

A mulher que é uma bênção no lar "dá mantimento à sua casa" (Provérbios 31.15). O pão diário de sua família é o principal motivo para ela levantar-se cedo. O marido e os filhos dependem dela para receber o alimento de que necessitam. Até mesmo hoje em dia, três em cada quatro pessoas no Oriente Médio vivem apenas de pão e de outros alimentos feitos de grãos.[2] O pão era – e continua a ser – o sustento da vida e o alimento principal de cada refeição. E não pode haver pão se os grãos não forem moídos (a primeira tarefa do dia). Depois, a massa é misturada e, finalmente, os pães do tipo "sírio" são assados sobre pedras quentes e cinzas.[3]

Há, porém, um belo simbolismo por trás desse versículo! A palavra hebraica usada aqui para "mantimento" significa "presa" e refere-se ao animal caçado por um leão. A bela mulher de Deus é semelhante a um leão caçando a presa para sobreviver. Ela é retratada como uma leoa espreitando à noite ("É ainda *noite*, e já se levanta") para buscar mantimento para sua casa.[4] Além de ser um exército (Provérbios 31.10), uma guerreira (v. 10), uma trabalhadora (v. 13) e um poderoso navio (v. 14), ela é agora uma leoa (v. 15)! O simbolismo desses versículos continua a indicar sua tremenda força e coragem. A bravura dessa mulher é tão grande que ela supre as necessidades (mantimento) dos outros (casa) sob sua responsabilidade.[5]

E a palavra "casa" inclui qualquer pessoa afortunada que esteja sob seu teto naquele dia! "Casa" é um termo coletivo usado para uma reunião de pessoas, um grupo, todos os que ali moram.[6] Essa lista de pessoas ilustres e afortunadas inclui seu marido (aquele que ocupa o primeiro lugar), seus filhos (os que vêm a seguir), um parente qualquer (naquela época muitos parentes moravam na mesma casa), seus servos e seus convidados.

Disciplina nº 3 : Planejar o dia

"... e [dá] a tarefa às suas servas" (Provérbios 31.15). "Tarefa" ou "porção" refere-se a alguma coisa que se deve dar a outra pessoa, uma porção ou compensação estipulada.[7] Assume-se que a bela mulher de Deus dá uma porção de alimento a suas servas como pessoas da casa, mas ela também lhes dá tarefas. Ela emite um "decreto" ou "ordem" de trabalho, que relaciona os deveres do dia.[8] Tem o trabalho de planejar e de organizar, mas suas servas também precisam ter seus deveres – suas "porções"– para o dia (v. 15). Ansiosa por não perder um só minuto de seu precioso tempo, ela precisa estar pronta para os trabalhos do dia - bem cedo!

Um exemplo para o sucesso

A bela mulher de Deus exemplifica um padrão para o sucesso que deu certo em sua época, mas você e eu também podemos ter sucesso hoje, muitos séculos depois, se seguirmos seu exemplo. Ela se levantava cedo (uma coisa simples, mas não necessariamente fácil de fazer). Conte quantas bênçãos ela recebia!

Tempo sozinha – Uma das principais queixas que ouço das mulheres é que elas não têm tempo para ficar sozinhas. Parece que as crianças estão sempre por perto (pedindo alguma coisa, fazendo barulho) e o telefone não pára de tocar (mais pedidos – e mais barulho). A TV está sempre ligada no último volume (mais barulho!), e a mãe parece não ter um momento de paz e sossego. Se você levantar-se cedo poderá ter esse momento de tranqüilidade. No silêncio da madrugada, você pode passar momentos preciosos sozinha.

Tempo com Deus – Quando você se levanta cedo, pode usar o tempo para buscar ao Senhor e passar alguns momentos em oração, suplicando sua bênção para o dia e para sua casa. Li um artigo no Dia das Mães sobre uma entrevista com Anne Graham Lotz, filha de Ruth Graham. Ela disse o seguinte a respeito de sua mãe: "A qualquer hora da manhã que eu acordava, via luz acesa no quarto [da mamãe]. Quando eu descia a escada, ela estava sentada diante de sua escrivaninha lendo uma das 14 diferentes traduções da Bíblia. Minha mãe me ensinou que é por meio da Palavra e da oração que posso conhecer a Deus. Ela conhece a Deus muito bem."[9] (E ela se levanta cedo para fazer isso!)

Tempo para planejar – Durante esses momentos de solidão, você também tem tempo para pensar e, conseqüentemente, para planejar melhor o dia. Alguns minutos de tranqüilidade antes dos afazeres do dia significam tempo para planejar, o que é essencial para deixar a casa em ordem. Ouça o que um especialista em administração do tempo diz a respeito de levantar cedo: "Faço quase todo o meu planejamento bem cedo. Eu [...] dedico em média [...] três horas e meia por dia para essa tarefa. Acordo por volta das 5 horas, antes de qualquer pessoa em casa, e reservo esses momentos de tranqüilidade para realizar minha atividade mais importante – planejar."[10]

Tempo para adiantar as tarefas do dia – Não há dúvida de que levantar cedo dá início a uma reação em cadeia de benefícios. Levantar-se cedo é seu primeiro passo para ganhar tempo! Veja o que esse tempo pode significar para você: Tempo com Deus – para orientação e força. Tempo sozinha – para planejar. Tempo para exercitar-se – às vezes é o único disponível! Tempo para adiantar as tarefas do dia – para fazer uso sábio das horas seguintes. Tempo para o desjejum – para se reabastecer. Tempo de orar em família – para unir a família. Quando você se obriga a levantar cedo todos os dias, está dando um passo importante para estabelecer um clima de ordem e um modelo para todos da casa.

Uma história pessoal

Graças a meu marido, Jim, passei a experimentar os benefícios de levantar cedo (quase todos os dias) – e vou contar-lhe por quê.

Quando começou a estudar no seminário, Jim voltava para casa depois das aulas elogiando um homem chamado Sr. McDougal. Jim estava sempre dizendo: "Você precisa conhecer o Sr. McDougal! Ele é professor, tem esposa e filhos, está fazendo curso de pós-graduação na Ucla (Universidade da Califórnia em Los Angeles), corre diariamente *e* é pastor de uma igreja!"

Um dia, Jim perguntou ao Sr. Don McDougal como ele conseguia dar conta de tudo aquilo. "Ele acorda todos os dias às 4 horas!", disse Jim mais tarde, quando me contou a história. Enquanto eu pensava *Que ótimo para ele*, Jim comunicou: "Vamos começar a nos levantar às 4 horas!"

Levantar a essa hora foi difícil (e continua a ser!), mas os benefícios foram imediatos. Por um lado, aqueles momentos que eu ansiava ter a sós com Deus tornaram-se realidade. De repente, passei a ter tempo para estudar a Palavra de Deus e orar sem pressa. Por outro lado, pela primeira vez fui capaz de planejar como enfrentar o dia agitado que teria pela frente, com crianças para cuidar, além das tarefas domésticas.

As vantagens de levantar cedo, porém, foram muito maiores. Comecei a praticar exercícios físicos – e continuo até hoje – todas as manhãs. Eu também tirava os pratos da máquina de lavar louça, fazia ligações telefônicas para a região leste do país antes das 8 horas, cuidava da contabilidade da casa, escrevia cartas, digitava, arquivava, estudava a Bíblia e compilava materiais para estudo bíblico – tudo antes das 7h30 da manhã. Até hoje tenho uma pasta chamada "Primeiras Horas do Dia", onde guardo uma lista das tarefas que posso fazer logo cedo.

Se você desejar ter alguns momentos sem interrupções, alguns momentos de tranqüilidade e de solidão, tente levantar de manhãzinha. Talvez você tenha de ir para a cama mais cedo. Mas, afinal, o que estará perdendo? Um programa ou outro na TV? Você necessita de tempo para a família, mas se surpreenderá ao ver quantas horas poderão ser poupadas quando se sentir motivada a levantar cedo.

Jim diplomou-se há muitos anos, mas eu ainda tento levantar bem cedo. Assim, como a mulher na cobertura de sua casa em Jerusalém, no verão eu abro todas as portas e janelas para refrescar a casa. Também coloco as roupas na máquina de lavar e rego as flores. Apesar de não precisar moer grãos, eu costumo moer café em grão e o preparo para Jim. Quando Katherine e Courtney moravam conosco, eu ia até o quarto delas e fechava a porta para que os barulhos da casa não as perturbassem e elas pudessem dormir mais um pouco até que o relógio tocasse – elas também pulavam cedo da cama!

Que tipos de "barulho" eu faço em casa de manhãzinha? Ligo o moedor de café! (Afinal, as primeiras coisas em primeiro lugar!) Abro as portas e as janelas. Aciono a mangueira para regar o jardim. Esvazio a máquina de lavar louças. Arrumo a mesa para o café. Preparo o desjejum. Levo o lixo para fora. Caminho na esteira quando está chovendo.

E os barulhos cessam e tudo fica em silêncio – em completo silêncio! Antes de atacar as tarefas de mais um dia, eu me sento para adorar ao Senhor e contemplar sua beleza (Salmo 27.4). Ora, sei o que terei de enfrentar! Meu dia será corrido e cheio de coisas para fazer. Se eu não me "abastecer", não poderei dar conta das tarefas do dia da maneira que Deus deseja. Recorrer a Ele para pedir forças não é uma opção – é um dever! Sei que não posso ser aquela guerreira ideal e que não tenho condições sequer de atravessar o dia se não puder contar com a força e a coragem que somente Ele é capaz de me dar.

Posso fazer tudo maravilhosamente – inclusive enfrentar mais um dia agitado – quando Ele me fortalece (Filipenses 4.13). Buscar sua paz também não é uma opção. Sei que existe apenas um meio de vencer a ansiedade – recebendo a paz de Deus, que excede todo entendimento (Filipenses 4.6-7). Você entende agora por que as primeiras horas do dia são tão preciosas para mim?

Como ser bela

Tenho certeza de que você já ouviu falar que, para ser bela, é preciso descansar; porém, para conseguir alcançar o padrão de beleza estipulado por Deus, é muito importante levantar cedo. É claro que você necessita de descanso, mas o hábito de acordar cedo organiza e disciplina a vida. Em vez de viver de maneira atabalhoada, correndo atrás de coisas perdidas, esquecidas, colocadas em lugares errados por falta de tempo, e tendo sempre de se desculpar, cultive a disciplina de levantar cedo. Como?

1. *Calcule o tempo* – Talvez você não queira começar o dia às 4 horas (nós fazíamos isso porque Jim precisava sair de casa às 5h30). Anote o tempo que levará para planejar o dia, deixar tudo preparado e fazer as tarefas matinais rotineiras. Calcule o tempo de trás para a frente e você saberá a hora em que deverá levantar-se. Depois disso, aposto que você vai ficar feliz ao ver que a programação deu certo. Sua família também ficará feliz!

2. Deite-se mais cedo – Se você não dormir o suficiente para descansar, não conseguirá seguir sua programação por muito tempo! Portanto, vá dormir uma hora mais cedo. Pelo menos, deite-se uma hora mais cedo!

3. Faça uma oração – Ore assim que apagar a luz! Centralize seus pensamentos no Senhor e comprometa-se a trabalhar para Ele e para seu Reino no novo dia que se aproxima. Essa comunicação com Deus leva sua mente a concentrar-se no trabalho do dia seguinte e transfere seus pensamentos do plano físico – acordar um pouco mais cedo – para o plano espiritual.

4. Levante-se! – Pensar no tempo precioso de vida que você está usufruindo quando acorda mais cedo é uma motivação a mais para levar adiante seus planos! Um especialista em administração do tempo diz o seguinte:

> [Se você] sentir-se bem com seis horas de sono em vez das oito a que está acostumado, essas duas horas por dia, de segunda a sexta-feira, somarão 40 horas – uma semana a mais de trabalho – a cada mês!... Apenas uma hora a menos de sono por noite significa seis semanas extras de trabalho por ano, que, somadas ao longo da vida, chegam a mais de cinco anos. Pense no que você poderia realizar em cinco anos a mais de vida! – "Levante-se e mãos à obra!"[11]

Um convite à beleza

Minha querida leitora e amiga, espero que você esteja entendendo a importância de seu papel como dona-de-casa. Ah! talvez você tenha um emprego, uma profissão liberal ou um título de grande prestígio fora de casa. Mesmo assim, você é a chave mestra para o bom andamento de seu lar e para manter a ordem e a eficiência na casa inteira! Usando as palavras do título deste capítulo, *você* é um exemplo para a casa. Portanto, quando reserva (e encontra) tempo para planejar, organizar e administrar seu lar com eficiência, está proporcionando à sua família – e a si mesma – uma dádiva que ninguém mais pode oferecer. Você presenteia seu marido com paz de espírito e bem-estar, porque ele confiará em seu poder de administração e sentirá tranqüilidade. Você oferece a seus filhos um exemplo de como deverão administrar seu próprio lar no futuro. À medida que seus filhos observam sua conduta e sentem o doce sabor dos resultados, eles aprendem a viver para o Senhor.

A bela mulher aos olhos de Deus descrita em Provérbios 31 é um exemplo para você (e para mim) de disciplina, porque ela se levanta cedo. O tempo passado em oração e planejamento nas horas silenciosas do raiar de um novo dia é muito importante para o bom andamento de seu lar e estabelece um exemplo de ordem para sua vida.

Portanto, seguindo o conselho do especialista em administração do tempo: "Levante-se e mãos à obra!"

9
Uma Propriedade Tão Sonhada

Sua Visão

"Examina uma propriedade e adquire-a; planta uma vinha com as rendas do seu trabalho."
Provérbios 31.16

Artistas como minha amiga Margaret dizem que a parte mais difícil do corpo humano para desenhar é o rosto. Dominar a arte de saber representar com perfeição os traços fisionômicos é o objetivo final de qualquer artista. Quando você e eu iniciamos a leitura deste capítulo sobre a mulher de Provérbios 31, começamos a ver seu rosto adquirir forma, à medida que algumas características nos são reveladas. Até agora observamos suas mãos trabalhando de bom grado (v. 13), maravilhamo-nos ao ver que o coração de seu marido confia nela (v. 11) e ficamos impressionadas com seus pés ligeiros que a levam a percorrer longas distâncias para adquirir mantimento para sua família (v. 14).

Agora, porém, a mente da bela mulher aos olhos de Deus será revelada, enquanto Ele, o Artista Inigualável, apresenta suas qualidades marcantes. No capítulo anterior, vimos como a mulher de Provérbios 31 usa a inteligência para planejar e organizar. Agora, no versículo 16, vemos que ela usa a inteligência como uma mulher de negócios *e* de grande visão.

Você já deve ter ouvido falar dos resultados das pesquisas sobre o "lado direito do cérebro". Dizem que um lado do cérebro controla nossas funções *criativas* e o outro controla o que é *prático*. Bem, a bela mulher de Deus desenvolveu, de forma completa e gloriosa, os dois lados de seu cérebro! Na esfera criativa, ela é uma mulher de grande visão – uma pessoa com talento para sonhar e imaginar.[1] Ela deseja o que há de melhor para sua família e sonha em fazer com que o "melhor" aconteça. Contudo, ela não pára por aí. Ela põe a parte prática de sua mente para trabalhar, a fim de que seus sonhos tornem-se realidade. Ora, ela é uma mulher de negócios e também uma mulher de grande visão.

Tríplice ação

Embora este capítulo trate de sonhos e de imaginação (assim como de aplicações práticas!), podemos aprender muito com estas três ações concretas que a bela mulher de Deus põe em prática em Provérbios 31.16 ao trabalhar para que seus sonhos se realizem. Estes três passos também servem para nós hoje:

Passo 1 – Exame minucioso. Imagine a seguinte cena. A bela mulher de Provérbios 31 levanta cedo, alimenta sua família, vê o marido sair para o trabalho, distribui tarefas às suas servas e, assim como aquele navio mercante, "iça as velas" para fazer as compras do dia. Enquanto negocia com os comerciantes da cidade, ela ouve alguém falar de uma propriedade que acabou de ser posta à venda. Com o coração batendo acelerado, ela faz algumas perguntas discretas e colhe informações preliminares.

Por que o coração dela disparou assim? Porque ela tem um sonho – uma visão nascida do amor – para melhorar a vida de sua querida família. Ela sempre esteve à procura de uma chance para realizá-lo, e a propriedade à venda parece a oportunidade de ouro para aumentar o patrimônio e a posição social de seu marido e, conseqüentemente, para melhorar a situação de sua família. Mas de que maneira ela reage à notícia de que a propriedade está à venda? Ela corre impulsivamente até o dono e efetiva a compra? Ela enfia a mão no bolso da túnica, retira um cartão de crédito de argila e diz sem pensar: "Debite neste cartão"? Não.

Ela "*examina* uma propriedade", diz a Bíblia (Provérbios 31.16, grifo meu). Ela se posiciona como uma mulher de negócios e examina cuidadosamente a propriedade para saber se é um bom investimento. No fundo do coração, ela deseja adquiri-la, mas a examina primeiro (como um bom soldado), antes que sua mente assuma o controle e procura obter informações sobre aquele pedaço de terra.

- O valor da propriedade – Enquanto obtém informações sobre a tal propriedade, ela *examina* seu valor. Em vez de confiar no que ouviu dizer ou em opiniões de especialistas no assunto, ela examina a propriedade por si mesma.

- A situação financeira – Ao avaliar a situação financeira da família, ela *examina* se existe dinheiro suficiente para adquirir e melhorar a propriedade sem prejudicar o bem-estar da família.

- O cálculo do tempo – Ela *examina* as responsabilidades que tem perante sua família para saber se tem tempo para negociar com o proprietário do pedaço de terra.

- A revisão das prioridades – A família é sua responsabilidade principal, portanto ela *examina* cuidadosamente se o esforço despendido na aquisição da propriedade prejudicará suas prioridades.

A mulher de Provérbios 31 percebe que tem muito a aprender, a ponderar e a orar antes de investir dinheiro em um bem imóvel.

Finalmente, depois de muitas considerações e consultas ao Senhor, acredito que ela leva o assunto ao conhecimento do marido. De posse dos fatos e das estatísticas de uma mulher de negócios, ela conta a ele o que tem em mente. Enquanto expõe suas idéias, ela aponta os vários motivos de desejar tanto essa propriedade e explica por que o negócio será vantajoso para o marido e para a família.

Então, por que essa mulher tão eficiente recorre ao marido? Eu imagino vários motivos – todos relacionados à sua grande força de caráter. Por ser uma *mulher virtuosa*, ela não age independentemente do marido, a quem Deus ordenou que fosse submissa (Gênesis 3.16). Por ser uma *mulher forte*, ela não age precipitadamente (Provérbios 19.2). Por ser uma *mulher sábia*, ela não age sem pedir conselho (Provérbios 12.15). E, por ser uma *esposa*, ela não deseja o que seu marido não deseja (Provérbios 19.14). A bela mulher de Provérbios 31 vive para agradar a Deus, e agradar a Deus também inclui agradar a seu marido (Gênesis 2.18). Ela é jogadora de um time, desejando sempre o que seu marido deseja e ajudando-o a trilhar o caminho que ele escolheu para sua família. Juntos, formam uma sólida união, portanto caminham... juntos! Constroem a vida... juntos! Fazem seus sonhos tornarem-se realidade. O dela, de melhorar a situação financeira da família (v. 16) e, o dele, de trabalhar na comunidade (v. 23)... juntos!

Abençoada com a aprovação do marido (ele não poderia deixar de aprovar diante do relatório que ouviu, do talento da esposa para negociar e de sua ética profissional), ela dá o passo seguinte para adquirir a propriedade de seus sonhos.

Passo 2 – Aquisição. Ela "examina uma propriedade e *adquire-a*", diz a Bíblia (Provérbios 31.16, grifo meu). Um estudioso fez a seguinte observação: "Não existe outra maneira de interpretarmos isso a não ser dizendo o que é óbvio. Aparentemente, essa mulher compra e vende terras..."[2] No versículo 16, a palavra "adquire" faz parte do mundo dos negócios, significando o ato de comprar e de vender, o toma-lá-dá-cá dos acordos comerciais.[3] Portanto, vemos que a mulher de Provérbios 31 toma posse da propriedade de seus sonhos.[4]

Antes de viajar a Israel, sempre imaginei que a propriedade dela fosse algo parecido com um sítio ou uma fazenda. Mas, depois de observar os imóveis da Terra Santa, sei agora que a propriedade dela era constituída, basicamente, de um terreno medindo cerca de 15 por 25 metros.

Os proprietários costumavam limpar a área retirando muitas pedras grandes, utilizando-as para construir um muro ao redor do terreno. Depois, aravam e cultivavam a terra. O trabalho era árduo, tedioso e demorado.

Mas onde, perguntamos, a bela mulher aos olhos de Deus conseguiu dinheiro para comprar aquele terreno? De que forma pagou pela propriedade de seus sonhos? O dinheiro veio de sua sábia administração financeira. Sua parcimônia nas despesas do dia-a-dia foi útil para o fechamento do negócio. Todos os seus esforços – sua boa administração, seu trabalho, sua diligência, suas permutas, sua fiação no fuso e na roca, suas vendas, seu dom de não se queixar da vida, sua habilidade para dizer "não" – forneceram o capital que transformou seu sonho em realidade. Alguém disse o seguinte: "O trabalho árduo é o fermento que faz crescer a massa!"

Passo 3 – Renovação. Ela "examina uma propriedade e adquire-a", diz Provérbios 31.16, e "*planta* uma vinha com as rendas do seu trabalho" (grifo meu). Diferentemente do que esse versículo parece dar a entender, ele se refere a duas propriedades e duas transações comerciais distintas. "Propriedade" e "vinha" são palavras diferentes para diferentes tipos de bens. Essa bela mulher não compra uma propriedade e depois planta uma vinha lá; ela compra uma propriedade e uma vinha.[5] Com o dinheiro conseguido arduamente, bem administrado e economizado, ela compra uma propriedade e seleciona e adquire a melhor vinha que seu dinheiro pode comprar.

Por que uma vinha? Sua escolha foi sábia. Naquela terra árida onde a água é tão escassa, a uva e o vinho são gêneros de primeira necessidade. Todos necessitam de líquidos para beber; portanto, ao adquirir uma vinha exclusivamente sua, a bela mulher de Deus tem condições de cuidar de sua preciosa família. As sobras são vendidas, e ela ganha mais dinheiro para concretizar seu próximo sonho. Todos se beneficiam! Com o fruto de suas mãos, diz uma das traduções da Bíblia, ela planta "frutos" para que sua família receba os elementos essenciais e o conforto necessário para viver.

Como ser bela

Quando você e eu buscamos e seguimos a orientação de Deus para a realização de um sonho e nos esforçamos no sentido de consegui-lo, todos se beneficiam. Aqui está um plano para fazer seus sonhos tornarem-se realidade:

1. Almeje possuir as coisas belas de Deus – Peça ao Senhor que construa em seu coração uma "arca do tesouro" de belas virtudes. Peça a Ele que lhe dê:

- paciência – para que você espere um pouco antes de agir quando as oportunidades surgirem;

- prudência – para que você pense cuidadosamente enquanto espera;

- devoção – para que você busque a sabedoria do Senhor enquanto espera e pensa;

- humildade – para que você consulte seu marido – ou pais ou pastor ou patrão – depois de ter esperado, pensado e orado;

- propósito – para que Deus guie seu coração na direção certa, em direção a Ele;

- perseverança – para que você faça tudo o que puder para concretizar seus sonhos.

2. *Dedique-se aos objetivos de Deus* – Isso significa que a família vem em primeiro lugar! Você deve ter como objetivo edificar sua casa (Provérbios 14.1), ser responsável pelo bom nome de sua família (Provérbios 22.1) e pela geração seguinte (Provérbios 31.28). Não se preocupe com o que receberá em troca. Não se preocupe com o preço que seus esforços lhe custarão (e eu não estou falando de custos financeiros!). Esqueça se os outros serão ou não agradecidos por seu serviço altruísta ou se alguém chegará a notá-lo. Como bela mulher aos olhos de Deus, você não espera nada em troca. Você faz o que faz porque essa é a sua maneira de ser, porque Deus está fazendo de você uma mulher virtuosa, uma mulher bela aos seus olhos! O serviço altruísta é a coisa mais bela que existe. Ele reflete a beleza de nosso Senhor!

3. Seu marido é prioridade absoluta – Você lembra como o coração do marido da mulher de Provérbios 31 confia nela (v. 11)? No versículo 16, vemos outra maneira de adquirir confiança. Essa maneira inclui submissão e subordinação de seus desejos pessoais aos desejos de seu marido. Observe novamente que isso é feito de bom grado. (A bela mulher de Deus faz tudo de bom grado – v. 13!) Se você cultivar virtudes piedosas e praticá-las na vida diária, se consultar seu marido sobre os assuntos domésticos, também será merecedora da confiança dele. Seu marido sorrirá intimamente quando você lhe pedir opinião. Ele tentará manter-se sério, pensando: "Aqui está ela novamente! Ela é uma mulher incrível! De onde tira essas idéias? De onde ela extrai essa energia?! Sou um homem feliz por ter essa mulher como esposa!" Ele será como o marido mencionado em Provérbios 31.28-29 que louva sua esposa como aquela que "a todas sobrepuja".[6]

4. A criatividade transborda! – Se você continuar a deixar o egoísmo de lado e passar a servir às outras pessoas, ficará surpresa diante das numerosas oportunidades que Deus lhe dará para demonstrar seu amor com criatividade. Seu coração e sua mente deixarão transbordar a "arte oculta" (nome que a Sra. Edith Schaeffer dá ao nosso talento criativo para as coisas comuns da vida).[7] Reflita sobre as idéias que ouvi recentemente em um seminário de administração do tempo para mulheres atarefadas. Você sabe onde a palestrante aprendeu os métodos mágicos que nos transmitiu? Em casa – cuidando do lar, do marido e de cinco filhos! Também participei de cursos do tipo "Como preparar uma refeição em menos de 20 minutos". A história de sucesso é a mesma: algumas mulheres superatarefadas, pressionadas pelo tempo, descobriram maneiras criativas de cuidar da família.

Minha grande amiga Kris, com três filhos e marido que ainda estuda, compra roupas para as crianças na "Loja de 1,99". Ela cola alguns enfeites (botões, flores secas, sobras de renda) nas roupas das crianças, deixando-as incrivelmente bonitas – gastando pouquíssimo dinheiro! Quando ela se deu conta de sua criatividade, instalou um ponto de venda em uma feira de artesanato. Agora vende seus trabalhos criativos para outras mães – e, ao mesmo tempo, ajuda seu marido a pagar os estudos. Na cozinha de Kris, nasceu uma mulher de negócios, enquanto ela passava a roupa da família. Seu sonho tornou-se realidade, porque todos os ingredientes necessários estavam presentes: concentração na família, alimentos servidos com amor, trabalho dedicado e uma ponta de criatividade!

5. Não tenha medo de sonhar! – Se você pudesse melhorar a situação financeira de sua família, o que gostaria de fazer? Se tivesse de mesclar seu amor pela família com os desejos de seu coração e com seus dons criativos, que direção você tomaria? Assim como a mulher de Provérbios 31, que é criativa (vv. 13, 18, 21-22, 24) e também disposta a cuidar do marido, dos filhos e da casa, você pode usar sua criatividade para finalidades práticas.

Portanto, sonhe com a cor do dinheiro! Quando a bela mulher de Deus sonha, ela sonha com a cor do dinheiro! A supervisão da casa, o controle do orçamento, o trabalho em prol da família, a aceitação de não ter sempre o que deseja, a parcimônia, a palavra "não" proferida na hora certa e o tempo gasto à procura de pechinchas – tudo isso significa dinheiro poupado e grandes possibilidades de que o sonho da bela mulher de Deus se transforme em realidade. Evidentemente, um de seus objetivos financeiros é ganhar e economizar dinheiro, não para ser gasto consigo mesma, não para ser esbanjado, mas para realizar os sonhos que ela tem para sua *família*! E, por causa desses sonhos, sua *família* é merecedora de toda a atenção! *Todos* da família se beneficiam. A vida *deles* melhora. É muito importante que você também esteja sempre atenta ao dinheiro. Se quiser realizar seus sonhos algum dia, precisará juntar a quantia suficiente para concretizá-los.

6. Empenhe-se no trabalho! – Como os sonhos se tornam realidade? A seqüência de atitudes da bela mulher aos olhos de Deus foi esta:

Sua virtude (v. 10) abriu caminho para seu coração
condescendente (v. 13) que abriu caminho para sua
diligência (v. 13) que abriu caminho para sua
parcimônia (v. 11) que abriu caminho para
seus investimentos (v. 16) que abriram
caminho para sua prosperidade (v. 25).

Por trás de toda história de sucesso, existe sempre muito trabalho – impulsionado pelo amor à família, pelo desejo do bem-estar da família, pelo sonho de almejar que isso aconteça e pela bênção misericordiosa de Deus!

Um convite à beleza

Agora é com você, minha amiga que possui uma profusão de talentos escondidos! Eu poderia estar escrevendo todas essas belas verdades sobre você! Comece a sonhar agora e a pensar em sua propriedade tão desejada. Desligue a TV. Desligue o rádio, o aparelho de som, qualquer coisa que a impeça de pensar com criatividade, de sonhar, de imaginar e de planejar.

Agora descreva seu sonho – ou seus dez sonhos! Em seguida, siga esta seqüência para torná-los realidade: *Primeiro, reflita sobre seus sonhos*. Ore. Calcule o custo. Ore. Colha informações. Ore. Converse com seu marido. *Depois, empenhe-se no trabalho*. O dinheiro é resultado de muito trabalho; portanto, faça o que for necessário para ganhá-lo, economizá-lo e administrá-lo. Assim que conseguir uma quantia razoável, comece o trabalho de adquirir sua "propriedade", seus equipamentos, seus materiais iniciais. *E vá em frente*. Cuidado para não negligenciar seu lar ou sua família. Afinal, você está embarcando em um sonho para beneficiá-los. Você não está aqui na terra para montar um negócio. Esse não é seu objetivo principal. Você está edificando sua casa (Provérbios 14.1), um nome honrado para sua família (Provérbios 22.1) e para a geração futura (Provérbios 31.25,28)! Portanto, repito, por trás de toda história de sucesso existe sempre muito trabalho – impulsionado pelo amor à família, pelo desejo de alcançar o bem-estar da família, pelo sonho de que isso se concretize e pela bênção misericordiosa de Deus!

10

Uma Atitude Animada

Seu Trabalho

"Cinge os seus lombos de força, e
fortalece os seus braços."
Provérbios 31.17

Eu sorrio todas as vezes que lembro dos resultados de uma pesquisa que fiz vários anos atrás. Durante uma série de palestras intitulada "A dona-de-casa sábia", perguntei a cem mulheres iguais a você e a mim: "O que a impede de fazer as tarefas domésticas?" As respostas foram dadas nesta ordem:

1º Motivo: Mau uso do tempo
2º Motivo: Falta de motivação
3º Motivo: Planejamento inadequado
4º Motivo: Protelação

Agora mesmo estou sorrindo e concordando, porque me enquadro nos itens dessa lista! Eles também me dizem respeito!

Para mim, a seqüência é esta: o mau uso que faço do tempo está sempre relacionado à falta de motivação, indicando que não tenho certeza do que estou tentando fazer! Ora, quando não sei *por que* estou tentando fazer algo, quando não tenho objetivos ou estabeleço apenas objetivos indefinidos, fico totalmente desmotivada e faço mau uso do tempo.

E quanto ao planejamento? Bem, será que a falta de objetivos significa que não existe nada para ser planejado – ou pelo menos uma incerteza sobre o que planejar?

E, a seguir, vem a protelação! Eu deixo para depois aquilo que não tenho certeza do que estou tentando fazer! Conforme disse, os itens da lista certamente me dizem respeito!

Portanto, se você é igual a mim, querida amiga, nós duas podemos agradecer a Deus porque Ele nos apresenta a bela mulher de Provérbios 31 que sabe usar seu tempo – cada minuto – e muito bem! Ela tem um objetivo: trabalhar na missão dada por Deus de edificar seu lar (Provérbios 14.1) e sente-se extremamente motivada. Ela planeja seus dias com sabedoria, de modo que cada um deles significa um passo a mais em direção a seus objetivos e sonhos. Ela trabalha *diligentemente* e sem protelações, sempre fazendo bom uso do tempo, concentrando seus planos e sua energia para concretizar seus sonhos. Espero que você faça agora esta oração comigo com sinceridade no coração: *Obrigada, Senhor, por essa bela mulher!* Onde estaríamos sem seu exemplo e inspiração?

À medida que analisamos Provérbios 31, versículo por versículo, você e eu nos maravilhamos diante das duas características da bela mulher aos olhos de Deus: ela é mentalmente determinada e fisicamente forte, conforme revelam suas atitudes e seu trabalho. Vemos essas duas características mais uma vez no versículo 17, analisando primeiramente sua determinação mental, sua atitude. Ora, sem determinação mental jamais seremos capazes de realizar qualquer trabalho físico!

Preparação para o trabalho

Como a bela mulher aos olhos de Deus – que descrevemos metaforicamente como um exército, uma guerreira, um navio, uma leoa e uma fazendeira – faz seu trabalho? Qual é o segredo do sucesso em tudo o que ela põe a mão?

Primeiro, ela "*cinge os seus lombos* de força", diz-nos Provérbios 31.17 (grifo meu). Essas palavras, cuidadosamente escolhidas por uma mulher, sugerem a *atitude em relação ao trabalho* que o jovem filho deve procurar em uma esposa. Vou explicar o simbolismo.

Três mil anos atrás, quando esse poema foi escrito, as mulheres (e os homens) usavam roupas bem soltas. Para realizar trabalhos físicos, precisavam segurar a roupa e prendê-la com um cinturão. Só assim poderiam movimentar-se livremente. Esse cinturão por cima da roupa era uma preparação necessária para o trabalho pesado[1] e também para esforços prolongados.[2]

O ato de cingir-se ou de prender a roupa com o cinturão era também um fator psicológico para o trabalho. Da mesma forma que colocar um avental, roupa de faxina, roupa de ginástica, roupa para pintar ou roupa para cuidar do jardim, ou até mesmo arregaçar as mangas, o ato de colocar o cinturão significava preparar-se para o trabalho. Esse ato preparatório e a roupa apropriada incentivavam a atitude de "Vamos lá!" em relação à tarefa do momento.

Segundo, ela "cinge os seus lombos *de força*" (Provérbios 31.17, grifo meu). A ênfase hebraica sobre a força física da mulher de Provérbios 31 sugere sua disposição para o trabalho e sua habilidade para trabalhar diligentemente. Parte de sua força vem da *escolha* que ela fez de trabalhar com empenho, e o cinturão é símbolo da força mental e física que ela adquire quando entra na arena do trabalho. O ato de se cingir de força revela que está motivada a fazer o trabalho e preparada para a atividade. Essa frase poderia ser traduzida assim: "Ela se veste de força!"[3] A Bíblia fala de "força em força" (Salmo 84.7), e é isso que a bela mulher de Deus aprecia: À medida que ela se disciplina para trabalhar, essa disciplina resulta em maior força e resistência![4]

Finalmente, vemos que ela "fortalece os seus *braços*" (Provérbios 31.17, grifo meu). Essa referência à sua força física nos diz que ela está pronta para trabalhar. Ela se preparou física e mentalmente para o esforço. Assim como uma leoa, está fisicamente apta e forte.[5] Há uma tradução que exclama: "Com que rapidez ela se cinge para o trabalho, como seus braços são incansáveis!"[6]

Uma fórmula pessoal para o trabalho

Se estivesse parafraseando Provérbios 31.17 hoje, eu diria: "Quando o assunto é trabalho, a mulher que é bela aos olhos de Deus está pronta, disposta e apta!" Enquanto eu pensava a respeito dessa qualidade de nossa bela mulher, concluí que sua atitude mental é o segredo para o volume de trabalho que ela realiza, e que essa atitude revela estas quatro qualidades do coração:

Comprometimento – O trabalho tem a ver com o coração, e, se não houver comprometimento de coração, pouco (ou nenhum) trabalho será realizado. Logo após meu casamento, tive de assumir o compromisso de entrar na arena dos trabalhos domésticos. Eu adorava ler, meditar e ver TV. Uma noite, ouvi uma mulher cristã, a quem admiro, dizer: "Eu não faço nenhum trabalho sedentário!" Pensei nisso durante dias (e até hoje penso naquela frase e na mulher todos os dias!) e, finalmente, prometi a mim mesma ser mais ativa, movimentar-me, estar sempre fazendo alguma coisa, porque há outro provérbio que ensina: "Em todo trabalho há proveito" (14.23)!

Disposição – Nossa disposição para fazer o trabalho exerce grande influência na facilidade com que realizamos a tarefa e no quanto ela rende. Podemos ter um coração comprometido para trabalhar, edificar a casa, servir à família e seguir os planos de Deus, mas precisamos também de disposição para tudo isso! Como uma mulher de Deus, uma mulher virtuosa, fomos recrutadas para o exército, por assim dizer; nós nos alistamos, apresentamo-nos como voluntárias. Portanto, temos de estar mentalmente preparadas e dispostas a fazer tudo o que for necessário para responder ao chamado do dever!

Motivação – Para mim, motivação é o segredo para o trabalho que faço, porque motivação é o "por que" de tudo o que faço. Estou sempre pensando e orando sobre o que desejo para minha vida, meu casamento, minha família, meu lar e sobre meu desejo de contribuir em prol de minha igreja, do povo de Deus e das outras pessoas. Desejo para mim o que a mulher de Provérbios 31 colheu em sua vida: ter Deus como a força propulsora de tudo o que faço; melhorar a vida de Jim; contribuir para a igreja, para o mundo e para a próxima geração com duas filhas tementes a Deus; proporcionar ordem e beleza no lar para minha família; ser uma doadora generosa para minha igreja de tudo o que ela necessitar; e tocar a vida de outras mulheres com o amor de Cristo. Minha querida, é isso o que eu desejo (e creio que é o que Deus deseja para você); anseio por ser grandemente motivada a trabalhar – do alvorecer ao pôr-do-sol – para fazer tudo isso acontecer (se for da vontade de Deus!). Esses objetivos proporcionam motivação para a vida inteira e me dão força mental todas as vezes que me ponho a trabalhar.

Disciplina – Ai! Para mim, essa é a qualidade que mais dói. Até aqui falamos de sonhos, desejos, objetivos e conversa! Mas a segunda metade de Provérbios 14.23 diz claramente: "[...] meras palavras, porém, levam à penúria." A disciplina é necessária para transformar a conversa em ação e alcançar os objetivos.

É assim que ocorre comigo. Posso querer limpar a casa, mas é a disciplina que me faz pular da cama assim que o despertador toca. É a disciplina que me faz levantar do sofá ou da poltrona. É a disciplina que me faz ir até a despensa para pegar o aspirador de pó e os produtos de limpeza. É a disciplina que me mantém em movimento quando desejo fazer uma pausa. É a disciplina que me força a terminar o trabalho em vez de deixar algumas coisas por fazer ou feitas pela metade. É a disciplina que me faz pôr tudo de lado quando estou exausta!

E essa disciplina tem tudo a ver com a mente! Lutamos mentalmente para terminar qualquer tipo de trabalho. É aí que fazemos nossas escolhas; é aí que decidimos como usar nosso tempo e nossa energia. Por isso, minha querida amiga que se esforça para ser bela, a determinação mental é um fator essencial para o trabalho. Quando somos determinadas mentalmente, vencemos a batalha contra a preguiça, a protelação, a desorganização e outros inimigos da produtividade.

Como ser bela

Permita-me transmitir-lhe alguns métodos que me ajudaram a desenvolver uma atitude melhor e até mesmo a ter ânimo para trabalhar:

1. *Aceite a vontade de Deus para sua vida* – Se você está em dúvida quanto à vontade de Deus para sua vida, saiba que ela está expressa aqui em Provérbios 31. Portanto, estude esses versículos atentamente. Coloque a mensagem em suas próprias palavras e aproprie-se dela, ame-a, empenhe-se em segui-la, comprometa-se com ela e dedique sua vida a ela!

2. *Permaneça na Palavra de Deus* – Permita que o Espírito de Deus encha de energia seu coração, sua mente – e sua força – por intermédio do poder da Palavra de Deus. A bela mulher aos olhos de Deus amava e temia ao Senhor (v. 30). Seus objetivos eram derivados da Palavra de Deus, sua força era impulsionada pela

Palavra de Deus, e a persistência, concedida por intermédio da Palavra de Deus e de seu Espírito!

3. *Desenvolva a imaginação* – Imagine um grande cenário, visualize seus objetivos e as possibilidades de pôr em prática aquilo que Deus tem em mente para você. Isso lhe dará ânimo para trabalhar. Pense alguns instantes no ambiente em que você vive. Ele é o resultado direto daquilo que você almeja para sua casa e sua família, ou seja, um lar bem administrado e paz para todos os que vivem sob seu teto. Amplie seus horizontes e imagine como será o futuro dos membros de sua família e a contribuição que eles poderão dar à sociedade. Permita que uma oração como esta abasteça sua imaginação: *Senhor, torna-nos patrões de nós mesmos para que possamos ser servos de outras pessoas.*[7]

4. *Questione o por quê* – Posso estar sendo repetitiva, mas é muito importante saber *por que* você está fazendo o que faz. O *por que* a motivará a trabalhar. Um professor desconhecido demonstrou muito bem esta verdade ao afirmar: "O segredo da disciplina é a motivação. Quando um homem [ou uma mulher] é suficientemente motivado, a disciplina é uma conseqüência natural." Talvez você saiba o que precisa ser feito e possua todas as habilidades necessárias para realizar a tarefa, mas se não houver motivação – compreensão e entusiasmo pelo *por que* –, é bem provável que a tarefa não seja feita!

5. *Ore para ter ânimo* – Quando você apagar a luz à noite, ore pelo trabalho que deverá ser feito no dia seguinte. Peça a Deus que a ajude a saudar o novo dia com ânimo (veja Salmo 118.24). Quando o despertador tocar, agradeça a Deus o dia que terá pela frente para servi-lo e amar sua família.

6. *Faça uma programação* – Uma programação a ajudará a planejar seu trabalho. Você saberá de antemão o que terá pela frente e poderá controlar o ritmo do trabalho e preparar-se para a tarefa seguinte.

7. *Estabeleça uma rotina* – Quanto mais tarefas você puder incluir na rotina diária, melhor. Tudo aquilo que você faz diariamente (passar alguns momentos com o Senhor, vestir-se, fazer exercícios físicos, coar café, regar a grama, esvaziar a máquina de lavar louça, arrumar a cama, pegar o jornal na porta, cuidar da higiene pessoal, preparar o desjejum, o almoço e o jantar, etc.) leva menos tempo quando faz parte de uma rotina. Seu objetivo é poder dizer: "Esta é a hora em que eu *sempre* caminho... cuido da higiene pessoal... pago as contas. Este é o dia em que *sempre* limpo a casa... vou ao supermercado... lavo roupa... arrumo o jardim." Dessa forma, você será capaz de passar com mais facilidade de uma tarefa para outra. Quando você se acostumar à rotina, terá menos decisões a tomar, menos coisas em que pensar e menos hesitação para dedicar-se ao trabalho. Você realizará muitas tarefas automaticamente, deixando a mente livre para orar, sonhar e planejar. É importante saber o que virá a seguir, porque isso lhe dará ânimo e energia para enfrentar as próximas tarefas.

8. *Leia livros sobre administração do tempo* – Provérbios 31 é um retrato da mulher excelente, da esposa excelente, da mãe excelente, da dona-de-casa excelente e da administradora de tempo excelente! Ela supera todas as outras, e é esse o desafio que Deus lança a você e a mim. Estude sistemas de organização e ponha-os em prática. Aprenda os melhores métodos, os mais rápidos e os mais eficientes para facilitar seu trabalho. Ler sobre administração do tempo a estimulará a ter mais ânimo e lhe oferecerá sugestões sobre como melhorar suas habilidades para que você também faça seu trabalho com perfeição!

9. *Comece pela tarefa mais desagradável* – Não há motivo para viver amargurada só por causa de uma ou outra tarefa desagradável que você precisa fazer. Comece por ela! Tirar da frente uma coisa que lhe pesa nos ombros torna o dia mais suave e

tranqüilo. Eliminar um obstáculo em primeiro lugar lhe dá novas energias para mergulhar em uma tarefa mais agradável.

10. Ouça música – Um dia, liguei às 15 horas para uma amiga, outra que também se chama Karen. Tive de aguardar alguns instantes para que ela pudesse abaixar o volume da música – um dos Concertos de Brandemburgo, de Bach. Ela explicou: "Sempre ouço música bem alto nas tardes em que começo a ficar desanimada. A música me faz ir em frente!" É um bom conselho. Tente segui-lo.

11. Trabalhe com rapidez – Tente vencer o relógio. Melhore seu tempo. Faça de suas tarefas um jogo. O prêmio será mais tempo para suas atividades de lazer e para acalentar seus sonhos. Depois de terminar os serviços domésticos, você poderá concentrar-se em uma atividade manual, como fazia a bela mulher aos olhos de Deus com sua tecelagem. Além disso, ao terminar o dia com pensamentos tão agradáveis, você sentirá ânimo e entusiasmo para trabalhar.

12. Reflita sobre si mesma – Medite na mensagem deste poema e ore para que você não se transforme em empecilho para si mesma:

Só há uma pessoa que o impede de fazer
As obras em que você crê
E de no seu coração o sonho arder –
É você![8]

Um convite à beleza

Obrigada por ter permanecido comigo até aqui! Desejo ardentemente que você alcance o ápice da glória dessa mulher! Sinto-me tão empolgada ao descrever a mulher bela aos olhos de Deus, e estou tentando captar parte de sua beleza de maneira tão intensa que, às vezes, chego a pensar que, de repente, vai até sair fumaça das páginas deste livro!

Agora, ao reler a parte deste capítulo que trata de motivação (por favor, releia-a também!), meu coração volta a comover-se por você. Sei que relacionei todas as coisas que eu desejava para minha vida, mas, querida amiga, desejo todas elas para *você*! Por quê? Porque Deus deseja que expressemos esses atos altruístas de amor – e somos extremamente abençoadas quando andamos em seus caminhos (Salmo 16.11).

Também quero que você sinta a alegria e a plenitude indescritíveis que brotam quando você age de acordo com os desejos de seu coração, desejos que Deus colocou ali (Salmo 37.4); quero que você sinta o contentamento e a motivação constantes que surgem com atitudes nobres assim. Por favor, pare, ore, escancare seu coração diante de Deus – com lágrimas, se elas fluírem – e, confiando em sua graça, persista na obra divina que o Senhor a incumbiu de fazer para Ele!

11

Um Sabor de Sucesso

Sua Confiança

"Ela percebe que o seu ganho é bom;
a sua lâmpada não se apaga de noite."
Provérbios 31.18

Antes de iniciar mais um capítulo sobre a verdadeira beleza, eu gostaria de dizer que esse versículo é um de meus favoritos. Vou contar o motivo depois de tecer algumas considerações.

Acima de tudo, sei que cada versículo desse delicado retrato da bela mulher aos olhos de Deus que Provérbios 31 apresenta é poderoso, crucial e tem a capacidade de modificar vidas, porque vem do próprio Deus. Sei também que o estudo de Provérbios 31.10-31 me induz a valorizar ao máximo meu marido, minhas filhas e meu lar, desde que eu viva de acordo com os caminhos do Senhor. Como mulher casada, a maior realização e a maior recompensa que experimento estão concentradas no lar. Viver de acordo com as prioridades de Deus traz-me bênçãos e alegria.

O versículo 18 – esta pequenina jóia incrustada no meio desse manancial de instruções – proporciona-me uma constante motivação. Ora, o versículo 18 é a faísca que acende a chama do tino comercial da mulher de Provérbios 31, assim como a minha e, talvez, a sua também. Como já vimos, a bela mulher de Deus executa bem todas as suas tarefas e rejubila-se diante do sucesso por ter atingido padrões de excelência. Também já vimos que ela tem disposição para trabalhar e economiza centavos fazendo permutas e regateando preços. Por meio da parcimônia, do trabalho árduo e de sua capacidade de dizer "não", ela ajunta uma quantia de dinheiro que lhe servirá de capital para um novo empreendimento. Depois de cuidar da família e de ver que seu lar está em ordem, ela parte, então, para abrir um negócio próprio.

Excelência em tudo

Como esse empreendimento começou? Como foi idealizado? A experiente mãe pertencente à realeza que ensina esse alfabeto de sabedoria ao filho mostra também a nós uma fórmula para o sucesso – em uma só palavra, para a *excelência*! Quando você e eu buscamos excelência em tudo (Provérbios 31.29), podemos experimentar o sucesso alcançado pela bela mulher aos olhos de Deus.

Excelência na prova da qualidade – Provérbios 31.18 inicia com estas palavras: "Ela percebe que o seu ganho é bom." O verbo *perceber* é o mesmo verbo hebraico traduzido como *provar* no Salmo 34.8 – "provai, e vede que o Senhor é bom". Vemos, portanto, que a bela mulher de Deus percebe e prova que seu ganho é bom. Após algumas tentativas, ela descobre que seu trabalho é bom. Depois de assumir alguns riscos, de tentar novas idéias e métodos e de aprimorar seus esforços, ela aprende que o produto de seu trabalho é bom. Ela pode ter confiança em seu trabalho, e tem.

Excelência nos produtos – Mas qual é exatamente o produto que ela percebe que é bom? Antes de tudo, essa mulher adquiriu uma propriedade e plantou uma vinha (v. 16). A quantidade de produtos obtidos da terra – milho, uva, vinho – é maior do que a que sua família necessita, portanto ela vende o excedente.

Essa mulher excelente também vende tecidos. Lembre-se de todos os esforços dela para buscar lã e linho (v. 13) e do trabalho manual que realiza com o fuso e a roca (v. 19) para tecer belas peças destinadas à sua família, ao seu lar e a si mesma (vv. 21-22). Ao perceber que seu trabalho de tecelagem é bom (ela deve ter recebido muitos elogios!), a bela mulher aos olhos de Deus cria as peças para vender (v. 24).

Excelência nos resultados – O ganho da mulher de Provérbios 31 é bom (v. 18) porque a mercadoria que ela vende é boa. Em outras palavras, sua mercadoria é *lucrativa* – e é lucrativa porque é *boa*! Tudo o que ela faz tem como objetivo o bem-estar de seu marido e de seus filhos, e ela deseja o melhor para eles. Ela jamais ofereceria a seus queridos um trabalho de qualidade inferior ou feito às pressas. Seu padrão de excelência implica a realização de um trabalho de alta qualidade. Portanto, quando há alguma sobra, ela pode tranqüilamente vendê-la. Por ser boa, sua mercadoria é vendida rapidamente e alcança bom preço.

Excelência na busca – A seguir, o versículo 18 diz que "a sua lâmpada não se apaga de noite". A bela mulher de Deus leva adiante seu empreendimento mesmo à custa de ter de trabalhar até altas horas da noite. Ela gosta daquilo que "prova", e isso a incentiva a prosseguir seu trabalho noite adentro. Os esforços criativos e o conseqüente lucro motivam-na a ser mais diligente ainda. Pelo fato de saber que as condições do mercado são boas, ela queima o óleo de sua lâmpada e o aproveita ao máximo enquanto ele dura.[1] Sua percepção intelectual ("ela percebe") transforma-se em esforço físico ("sua lâmpada não se apaga de noite"), porque ela se dedica de corpo e alma ao bem-estar de sua família e para expor a criatividade de seu trabalho.

Antes de prosseguir, desejo incluir um comentário rápido sobre a lâmpada aqui mencionada. Quando o dia começava a escurecer e ainda havia uma atividade em andamento, era necessário acender uma lâmpada. Conforme já mencionei, essa lâmpada era, na verdade, um pires raso com óleo no qual flutuava um pavio de linho. A lâmpada acesa significava várias coisas em relação à casa.

- Antes de tudo, a lâmpada acesa significava que havia um trabalho em andamento, necessitando, portanto, de claridade. Por certo, havia um trabalho em andamento na casa da bela mulher aos olhos de Deus!
- Hospitalidade era outro motivo para a lâmpada estar acesa. Sua luz indicava aos forasteiros que ali dentro havia conforto e descanso.
- Uma luz brilhando porque óleo precioso era queimado também significava prosperidade (Provérbios 21.20).
- Finalmente, a lâmpada acesa significava sabedoria: alguém dentro da casa sabia que era prático manter alguma coisa queimando para que o fogo da cozinha pudesse ser aceso de manhã cedo. Lembre-se de quem se levantava várias vezes durante a noite para verificar se a lâmpada não havia apagado (v. 18)!

Enfim, a bela mulher aos olhos de Deus tem muitas ocupações, além de distribuir tarefas às suas servas. Ela também trabalha até altas horas da noite e nas primeiras horas do dia (v. 15). Ela trabalha fora de casa em sua propriedade e na vinha durante o dia (v. 16) e dentro de casa durante o dia e a noite (v.18) para cuidar de seus projetos lucrativos.

Bem, minha querida amiga, não é de admirar que seu empreendimento seja bem-sucedido. Afinal, essa bela mulher não teme o trabalho árduo – e, em suas mãos habilidosas e com as bênçãos de Deus, seu trabalho é bom e lucrativo (v. 18)! Ela faz o que gosta (trabalha diligentemente com o coração e com as mãos) e, ao mesmo tempo, colabora com o orçamento da família (ela faz bem a seu marido, e ele não precisa preocupar-se com o ganho). Ela também é livre para criar seu estilo próprio de roupa, e a boa administração desse trabalho traz lucro para sua família. A alegria de criar e a satisfação de vender motivam-na a prosseguir. E, assim, as bênçãos e os benefícios de sua diligência e de seu empreendimento continuam! Acaba de nascer uma empresa doméstica.

Um estímulo à excelência

Eu chamo o pequeno empreendimento da bela mulher aos olhos de Deus de "Projeto Provérbios 31". E agora eu gostaria que você orasse a respeito do que faz – ou do que poderia fazer – para contribuir com as finanças de seu lar. Espero que o exemplo de algumas mulheres que trabalham até tarde da noite possa servir-lhe de inspiração. Permita que o Projeto Provérbios 31 de cada uma delas estimule sua imaginação incentivando-a a manter sua lâmpada acesa durante a noite!

- Minha filha Courtney é responsável pelo pagamento dos impostos da casa e calcula todas as devoluções a que a família tem direito. Seu marido, Paul, repassa-lhe alegremente essas devoluções. Com esse dinheiro, minha filha iniciou um negócio próprio, trabalhando dentro de casa. Ela também calcula as devoluções de impostos de outras famílias.
- Uma enfermeira-padrão que conheço leva para casa todas as noites fichas contendo as anotações dos médicos do

hospital onde trabalha. Ela confere uma a uma e devolve as fichas no dia seguinte com as informações passadas a limpo e classificadas. E é paga por isso! Ela simplesmente idealizou um novo trabalho e o transferiu para casa, quando seu primeiro filho nasceu.

- A esposa de um seminarista assa pães em casa para consumo próprio – e aceita encomendas diárias de outras pessoas, inclusive as minhas! Ela também envia pães ao seminário, por intermédio do marido, para vendê-los aos alunos no intervalo para o lanche. *Voilà*! Dinheiro para cobrir despesas com educação!
- A ex-secretária de meu marido passou a fazer os serviços de datilografia em casa quando seu primeiro filho nasceu. Ela também executa esse serviço para estudantes – e transcreve para mim os textos gravados em fita – trabalhando em casa!
- Há também minha amiga "mantenedora de piscinas"! Para economizar dinheiro, essa verdadeira mulher de Provérbios 31 fez um acordo com o marido de limpar e cuidar da piscina da casa, desde que recebesse a mesma quantia mensal que ele pagava à empresa limpadora. O dinheiro seria gasto com a própria família. Quando seu vizinho viu a piscina brilhando de tão limpa, pediu que ela também limpasse a sua. Hoje, Kathy cuida das piscinas das casas de seu quarteirão e usa o dinheiro para atender às necessidades de sua família.
- E há também Lisa, uma mulher inteligente que tem marido, dois filhos pequenos e uma casa para cuidar. Ela também tem grau de mestrado em inglês, um coração compassivo e um incrível talento para escrever. Lisa é minha editora – e editora de outras pessoas, sempre trabalhando com a mesma competência. Ela administra seu tempo e sua energia da

mesma forma que a bela mulher aos olhos de Deus (vv. 15 e 18). Levanta cedo e dorme tarde para poder transformar seu talento em profissão – e lucrar com isso!

Com base nesses exemplos, que tal você reservar um pouco de tempo para avaliar seus sonhos, habilidades e interesses? Ore para que Deus lhe mostre uma atividade que você possa desenvolver no sentido de colaborar no orçamento da família e adicionar seu nome à minha lista. (Se você trabalha fora, lance um desafio a si mesma para ser mais criativa quando estiver em casa. Não se dedique apenas ao trabalho no escritório!)

Se você estiver cogitando em levar adiante o Projeto Provérbios 31, não se esqueça de que o simples fato de cuidar da casa é uma contribuição muito importante para as finanças de seu lar. Estou falando do dinheiro que você economiza quando controla o pagamento das contas, compra apenas o necessário, planeja bem o cardápio e prepara alimentos saudáveis. Adicione a essa lista o trabalho de jardinagem, a limpeza da casa – e talvez da piscina – em vez de pagar a alguém para fazer esses serviços. Há um ditado sábio que diz: "Dinheiro poupado é dinheiro ganho."

Não se preocupe caso seu estilo de vida não lhe permita levar adiante o Projeto Provérbios 31 de maneira formal. Sei que uma mulher é diferente de outra e as situações também são diferentes (oito filhos? nenhum?). Se você foi agraciada por Deus com dons especiais – criatividade, talento para negociar, habilidade para desenvolver uma profissão lucrativa, tempo disponível ou um pouco de capital para iniciar um negócio próprio –, pense seriamente nisso e ore para que Ele lhe dê forças para colocar esses dons a serviço de sua família.

Como ser bela

Aqui estão algumas sugestões para você iniciar seu Projeto Provérbios 31.

1. Preste atenção ao que os outros dizem – Você recebe elogios por alguma coisa que faz? Geralmente, não damos muito valor aos nossos dons. Nossa tendência é pensar: "Ah, qualquer um pode fazer isso! É tão fácil!", sem notar que ninguém está fazendo esse trabalho com a mesma excelência, talento ou coragem. Às vezes, chegamos até a pensar: "Ah, não ficou tão bom assim! Há quem saiba fazer melhor!", em vez de agradecer a Deus as habilidades que Ele nos deu e tentar usá-las de maneira mais ampla.

2. Vá em frente – Você errou? A receita não deu certo? A pintura da parede escorreu? Você não conseguiu encontrar as palavras certas para seu texto (acontece o mesmo comigo!) ou as notas certas para sua composição musical? Você exagerou na dose de fertilizante para suas rosas tão estimadas? Enfrente essas situações com a atitude do inventor Thomas Edison, que fracassou milhares de vezes antes de inventar a lâmpada elétrica: "Não chame [o fracasso] de erro. Chame-o de aprendizado!"[2]

3. Desenvolva suas habilidades – Para ter sucesso no Projeto Provérbios 31, você precisará continuar a desenvolver suas habilidades e técnicas. Hoje mesmo minha filha Courtney matriculou-se em um curso de culinária para desenvolver seu maravilhoso talento de forno e fogão. Ela possui habilidade e desejo de aprimorar-se na cozinha e já "provou" sucesso suficiente para sonhar em abrir algumas empresas no ramo de preparação de alimentos. Sejam quais forem suas habilidades, empenhe-se em aperfeiçoá-las. Além de desenvolvê-las, você também adquirirá mais confiança em si mesma.

4. *Aproveite o seu tempo* – Aproveite o tempo gasto em atividades menos importantes e use-o em seu Projeto Provérbios 31 para desenvolver sua criatividade, seu talento para negociar. Quando concentro os pensamentos e a energia em meus trabalhos de escrita e de oratória, percebo que algumas atividades, antes regulares, desapareceram completamente. Deixei de passar horas vendo TV, fazendo compras, comparecendo a almoços, saindo de casa sem necessidade ou falando ao telefone. Hoje, uma das poucas atividades que mais consomem tempo é o meu "trabalho", e estou disposta a estender esse tempo noite adentro! (Neste momento, o relógio está marcando 22h30!)

5. *Arrisque-se* – Seja criativa. Tente fazer coisas novas. Manifeste sua criatividade. Adote a atitude de minha amiga Julie em relação a seus arranjos de flores – "Seja arrojada!" em qualquer empreendimento no qual estiver investindo.

6. *Faça o melhor possível* – "Tudo quanto te vier à mão para fazer, faze-o conforme as tuas forças." Essa é a sabedoria de Eclesiastes 9.10. A bela mulher aos olhos de Deus trabalha com todas as suas forças e de todo o coração. Tudo o que ela faz tem um grau de excelência e, por conseguinte, seu ganho é bom!

7. *Faça seus projetos para o Senhor* – Tanto no Antigo como no Novo Testamento – em Provérbios 16.3 e em Colossenses 3.23 respectivamente –, somos instruídas a submeter nosso trabalho ao Senhor e a realizá-lo para o Senhor. Com Ele como seu motivo para trabalhar, com Ele como seu Patrão, com sua glória como seu objetivo, você sentirá a bênção de seu poder e de sua orientação. Com Ele como seu esteio, você também encontrará forças para vencer!

8. *Empenhe-se para obter lucro* – Conforme observamos nesse perfil da bela mulher aos olhos de Deus, o lucro pode ser obtido

de várias maneiras. Podemos melhorar a condição financeira de nossa família com dinheiro poupado, com dinheiro ganho ou com dinheiro investido.

9. Convença-se de que aquilo que você está fazendo é viável e digno. No Salmo 34.8, Davi exorta-nos a "provar e ver que o Senhor é bom." O significado da palavra "ver" é "convencer-se" – e, geralmente, a pessoa mais difícil de ser convencida a respeito do valor dos próprios esforços é você mesma! Lembre-se de que este capítulo trata da confiança dessa bela mulher depositada em seu Deus, dos talentos e habilidades que Ele lhe dá e do uso que ela faz desses dons para o bem de sua família e de outras pessoas.

10. A família em primeiro lugar – Jesus nos ensina que, se a árvore for boa, o fruto também será bom (Mateus 7.15-20). Para a bela mulher de Deus, a família vem em primeiro lugar. Tudo o que ela faz gira em torno da família. O desejo de seu coração e o foco de suas ações concentram-se no bem-estar da família, portanto o fruto de seus esforços é bom. Ela não é motivada pela ganância, mas preocupa-se unicamente com sua família. Essa motivação leva-a a fazer o melhor possível, e Deus se utiliza da vida dessa mulher para abençoar sua família e outras pessoas (Provérbios 31.20,24) de várias maneiras, inclusive financeiramente.

Pare por alguns instantes e analise seus motivos. Seus esforços estão sendo impulsionados pelos motivos certos? Meu sábio pastor exorta: "Tome conta da profundidade e deixe que Deus tome conta da largura." Para tornar-se bela aos olhos de Deus, tome conta de sua família e deixe que Deus tome conta das bênçãos que Ele reservou para você na condução de seus negócios.

Um convite à beleza

É meu desejo – e estou orando nesse sentido – que, ao ler este capítulo sobre a bela mulher aos olhos de Deus, você seja incentivada a:

- dedicar a maior parte de sua energia e de seus esforços em prol da família e do lar;
- pedir discernimento a Deus sobre alguma atividade que você domine e que possa ser expandida dentro do Projeto Provérbios 31;
- descobrir quais são suas habilidades e aperfeiçoar seus talentos;
- planejar trabalhar algumas noites até altas horas para pôr em prática sua criatividade;
- preparar-se para experimentar o sabor do sucesso!

12
Um Pequeno Trabalho Noturno

Sua Diligência

"Estende as mãos ao fuso, mãos
que pegam na roca."
Provérbios 31.19

Acontece todos os dias. O sol que ilumina o mundo e dá energia a nossa vida e a nosso trabalho começa a desaparecer no horizonte, sinalizando às mentes e aos corpos cansados de todas nós que mais um dia está chegando ao fim. Você e eu conhecemos a ordem das coisas a partir desse momento: servir o jantar, lavar a louça e limpar a cozinha, dar banho nas crianças, ajudá-las a escovar os dentes, ler histórias para elas, colocá-las na cama e, finalmente, ir dormir.

Foi um dia longo e agitado – repleto de desafios e que exigiu criatividade e muito trabalho. E... ooooh... que coisa boa repousar na posição horizontal, descansar nosso corpo e nossa mente, puxar o cobertor e fechar os olhos – até o momento de levantar no dia seguinte antes do nascer do sol! Esses são os pensamentos que povoam nossa mente no momento em que Deus fecha as cortinas, deixando para trás as atividades de mais um dia agitado.

Mas espere um pouco! Ao ler Provérbios 31, descobrimos outra dimensão para a bela mulher aos olhos de Deus, uma nova característica que nos força a reavaliar nossa maneira de agir quando a noite se aproxima! Quando você e eu imaginamos ter finalizado o dia, a bela mestra de Deus nos apresenta a Lição nº 12 (já chegamos à metade!) a respeito do que significa ser bela aos olhos de Deus. Seu jovem filho ouve atentamente quando ela aborda a diligência da mulher de Provérbios 31 ao fazer um pequeno trabalho noturno antes de dormir.

O trabalho nos bastidores

É verdade que, por trás de todo sucesso, existe trabalho, trabalho e mais trabalho. Você e eu estamos analisando a maravilhosa história de sucesso da mulher de Provérbios 31. Evidentemente, ela é uma mulher diligente – sempre perseverante, continuamente laboriosa e constantemente atarefada. Pelo fato de amar sua família e seu trabalho, ela se levanta cedo para tomar conta da casa e continua a trabalhar até altas horas da noite. Ela faz bom uso das horas noturnas.

No capítulo anterior, vimos que a bela mulher de Deus priva-se do descanso para fazer um pequeno trabalho noturno: "Ela percebe que o seu ganho é bom; a sua lâmpada não se apaga de noite" (Provérbios 31.18). Mas o que ela faz durante a noite? Provérbios 31.19 apresenta a resposta óbvia: "Estende as mãos ao fuso, mãos que pegam na roca." Quando a noite chega, a bela mulher de Deus transfere suas atividades do campo para dentro do lar, onde ela trabalha sob a luz da lâmpada (v. 18). Sim, ela atravessou um longo dia, mas continua a trabalhar à noite. Em sua época, era perfeitamente natural e admissível descansar quando a noite chegava, mas nossa heroína permanece acordada para trabalhar... só mais um pouquinho.

E, de acordo com Provérbios 31.19, ela trabalha com o fuso e a roca. Mencionados em algum lugar do Antigo Testamento, esses objetos antigos eram usados para fiar lã.[1] Em mãos habilidosas e experientes, o fuso e a roca transformavam a lã e o linho em fio. Esses dois acessórios eram as ferramentas de trabalho para o comércio de tecidos feitos pela mulher de Provérbios 31.

Um pouco antes, no versículo 13, vimos que ela usa sua energia para colher, preparar, limpar e desembaraçar a lã e o linho. Agora, à noite, quando seu corpo está relaxado, ela senta-se e fia, processando a lã e o linho para a tecelagem. Ela sabe que o trabalho monótono de fiar deve ser completado antes do início da tecelagem.

Essa preparação nos bastidores é necessária antes da realização de qualquer trabalho grandioso. Por exemplo, antes de ser pintada, a tela precisa ser esticada e montada. Antes de ser costurado, o vestido deve ser cortado de acordo com um molde. Antes da apresentação da ópera, o cantor ou a cantora deve praticar as escalas. Antes de ser escrito um livro, deve-se fazer uma pesquisa. Antes de pintar uma parede, deve-se rebocar os tijolos. Antes de preparar uma refeição, é necessário lavar, picar e medir os ingredientes. Esses trabalhos nos bastidores talvez sejam comuns, rotineiros, sem nenhum atrativo, entediantes, insípidos e até mesmo "automáticos", mas o preparo é fundamental para que o resultado seja belo e útil.

Portanto, a bela mulher de Deus passa as noites trabalhando com disposição, ânimo, vigor e alegria (v. 13) para fazer uma tarefa enfadonha, cansativa – porém muito necessária –, da qual nascem grandes obras de arte.

Como ser bela

Antes de começar a trabalhar à noite em vez de ficar sentada diante de um aparelho de TV, segurando um pacote de salgadinhos e um copo de refrigerante, eu relutei muito! Quando assumi o compromisso de usar as horas noturnas para ajudar minha família e desenvolver autodisciplina em uma nova área da vida, fui aprendendo, gradualmente, a utilizar aquele tempo de maneira útil e criativa. (Enquanto escrevo estas páginas, o relógio está marcando 21h15!) Hoje, eu valorizo minhas noites, que foram, durante muito tempo, um tesouro escondido.

O fato de ter descoberto a bênção de fazer um pequeno trabalho noturno abriu-me as portas para uma nova qualidade de vida. Jim e eu fundamos, dez anos atrás, a organização Ministérios de Desenvolvimento Cristão à noite. Quando passei a usar minhas horas noturnas com mais sabedoria, consegui encontrar tempo para sentar-me ao lado de Jim no comando dessa organização, desenvolver e fazer uso de meus dons espirituais para enriquecer a vida das mulheres cristãs. Tremo só em pensar no que eu poderia estar fazendo (ou *não* estar fazendo!) se tivesse continuado a jogar fora essa bênção de Deus!

Siga o conselho de um especialista em administração do tempo sobre horas desperdiçadas e faça com que suas noites e finais de semanas tenham significado![2] Espero que alguns destes primeiros passos que revolucionaram minha vida – e minhas noites – incentivem você a fazer o mesmo que eu:

1. Avalie suas noites – Recentemente, ouvi o agente de esportes mais bem pago do mundo falar sobre uma atividade que ele pratica diariamente. Com referência à importância do tempo, ele disse que planeja seu dia (cada um deles – até os fins de semana) dividindo-os em segmentos de 20 minutos. Você sabe como passa cada período de 20 minutos de suas noites? A resposta a essa pergunta talvez seja um bom exercício para abrir seus olhos!

2. Planeje suas noites – Em uma manhã de domingo na igreja, ia passando direto por uma amiga. Felizmente, ela agarrou meu braço e tive a oportunidade de perceber que uma coisa maravilhosa lhe acontecera – ela havia emagrecido quase 20 quilos! (Foi por isso que passei direto por ela – eu não a reconheci!) Quando lhe perguntei como conseguira emagrecer tanto assim, ela me contou que decidiu exercitar-se em casa todas as noites após o trabalho. Seu objetivo para o novo ano tinha sido incluir aquela atividade em sua vida, especificamente à noite. Em outras palavras, ela planejou suas noites – e está desfrutando as vantagens!

Tento planejar minhas noites no decorrer do dia porque, quando essa hora chega, estou cansada demais para pensar em alguma coisa útil! Portanto, resolvi criar o que chamo de meu "Arquivo Noturno" (o oposto de meu "Arquivo Matutino"). Em meu "Arquivo Noturno" mantenho uma lista das atividades que posso fazer durante a noite.

Por exemplo, eu organizo minhas centenas de anotações de livros de estudos bíblicos. Autografo meus livros para os grupos de estudo bíblico. Uma vez por semana, respondo às cartas recebidas. Às vezes, dito os textos tão tarde da noite (depois que o relógio já bateu 2 horas) que as palavras ficam quase incompreensíveis. Pagar contas, atualizar talões de cheques e organizar a conta bancária são boas atividades noturnas para mim. É à noite que leio folhetos e catálogos, tendo sempre ao lado um grande cesto de lixo! Quando estou lecionando no Instituto Bíblico Logos, corrijo as provas à noite. As roupas da família são dobradas à noite e, se houver necessidade de passá-las a ferro, esse trabalho é feito depois que o sol se põe. Como professora e escritora, necessito de muitas ilustrações, portanto durante a noite eu faço uma seleção de livros de citações, notas biográficas e livros de artes. À noite, eu me detenho nos pormenores, sem me preocupar com o conteúdo de minha leitura. Deixo os comentários complicados e os livros de pesquisa para trabalhar neles durante o dia (e com energia!). Não sei quanto a você, mas tenho papéis espalhados pela casa inteira. É à noite que os separo em pilhas.

Crie seu "Arquivo Noturno" e planeje fazer alguns pequenos trabalhos à noite. Suas tarefas poderão incluir: recortar cupons, folhear o livro de receitas e organizar cardápios. Seguindo os passos da bela mulher de Deus, você poderá fazer remendos, tricô, crochê ou bordados e ponto de cruz. Trabalhe à noite para fazer seus presentes de Natal – e embrulhe-os depois que a noite chegar. Leia suas revistas favoritas, o jornal ou um periódico profissional durante a noite. Use essas horas em prol de seus interesses especiais. Se você gosta de arte, música clássica, culinária, jardinagem ou história, que tal alugar um vídeo educativo para assistir em lugar da programação da TV? Ou, então, ouça uma fita cassete e faça anotações.

Talvez você queira ver TV com sua família – ou pelo menos estar no mesmo cômodo que eles. Eu conheço várias mulheres cujos maridos querem que elas fiquem sentadas no sofá ao lado deles durante os programas noturnos de TV. Bem, a autora Anne Ortlund relaciona 22 coisas que você pode fazer nessas ocasiões. Aqui estão alguns exemplos: Examine o calendário e faça seus planos, cuide de seus pés, escreva uma carta a uma velha amiga, cuide das unhas das mãos, atualize seu livro de receitas, coloque fotografias antigas em álbuns, dê polimento em objetos de prata e escreva um bilhete de incentivo a seu pastor![3]

O ponto principal, minha bela irmã, é destinar as horas do dia – quando você gasta mais energia – a trabalhos que exijam muito de você, tanto física como mentalmente. Quando o ocaso começar a envolver o dia e sua energia chegar ao ponto mais baixo, em vez de isolar-se, irritar-se ou afundar-se no sofá, siga o exemplo de nossa bela e diligente mulher: mude de atividade. Provérbios 10.4 diz: "O que trabalha com mão remissa [e é negligente] empobrece, mas a mão dos diligentes vem a enriquecer-se." Em outras palavras, o preguiçoso não colhe nada, mas os diligentes são bem-sucedidos. Por isso, planeje ser diligente!

3. Prepare-se para trabalhar à noite – Se você já criou um "Arquivo Noturno", terá algumas opções específicas para suas noites e saberá exatamente como se preparar para isso. Antes que o sol se ponha e você esteja muito cansada, separe tudo o que necessitar para sua pequena tarefa noturna. Quando pretendo empilhar os materiais para o estudo bíblico, eu organizo minha linha de montagem perto da mesa de café. Se estou fazendo a contabilidade da casa, organizo uma mesa na sala de estar para que eu possa ficar ao lado de minha família enquanto trabalho. Tenho uma amiga que criou um estojo de correspondência para guardar papéis de carta, cartões postais, cartões de felicitações, selos, envelopes, canetas e livro de endereços. Você poderá fazer algo semelhante, sentar-se ao lado da poltrona favorita de seu marido e despachar sua correspondência. Minha amiga Judy colocou um cavalete e materiais de pintura em sua aconchegante sala de estar. A esteira rolante e a bicicleta ergométrica passaram a fazer parte de nossa sala de estar – um lembrete constante para que eu me exercite!

Também descobri alguns truques para ter mais disposição à noite. Um deles é fazer exercícios ou uma caminhada ao ar livre a fim de adquirir mais energia para as atividades noturnas. Outro é dizer a mim mesma: "Liz, faça só mais uma coisa." Todas as vezes que termino uma tarefa, eu lembro a mim mesma de que posso fazer apenas mais uma. Mas sempre acabo fazendo outra e mais outra no decorrer da noite! Ou digo a mim mesma: "Só mais cinco minutos e chega!" (Li, certa vez, que "a diferença entre um amador e um profissional está em cinco minutos a mais".[4]) E fico surpresa e emocionada quando todos aqueles "cinco minutos a mais" chegam a três ou quatro horas de trabalhos extras terminados.

4. Faça bom uso de suas noites! – É muito importante avaliar, planejar e preparar, mas, acima de tudo, você precisa usar bem suas noites. E isso exige esforço! A bela mulher aos olhos de Deus "estende as mãos ao fuso" (Provérbios 31.19). O que suas mãos tentam alcançar à noite? Um lanche? Outro livro de romance? Um vídeo favorito? Seu travesseiro? O controle remoto? Este capítulo trata de diligência; ele é um convite para que você torne suas noites mais produtivas.

Se você trabalha fora, talvez considere um grande desafio fazer bom uso de suas noites assim que volta para casa. Certa escritora descreveu como ela faz isso em um de seus livros, em um capítulo intitulado "Mulheres que trabalham fora, leiam isto".

> Quando a noite chega? É hora de verificar como estão as roupas da casa e preparar o café da manhã na véspera... Depois de cumprimentar todos da casa, pego as roupas sujas do dia e ligo a máquina de lavar. Depois, vou para a cozinha. É no jantar que nossa família se reúne, por isso tento torná-lo agradável e sem pressa. Depois do jantar, transfiro as roupas da lavadora para a secadora e limpo a cozinha. (Certa noite, enquanto eu preparava o jantar, deixei pronta a massa para nossos tradicionais pães e biscoitos de Natal. Coloquei a massa na geladeira, e dali a alguns dias tivemos uma grande festa.) Transferi a limpeza da geladeira, do fogão e dos armários para a noite. Quando meu dia foi muito agitado, tiro um cochilo de 30 minutos. Agora, com [minha] programação tão apertada, passo mais tempo diante da máquina de escrever. Seja lá o que eu estiver fazendo, fico atenta ao clique do botão de "desligar" da secadora para que eu possa estender as roupas no varal... Dedico os últimos 30 minutos antes de me deitar para cuidar de mim. Isso inclui exercícios, cuidados com a pele, os dentes e as unhas.[5]

Essa bela mulher tem tantos sonhos e tantas coisas para fazer que ela simplesmente não dispõe de tempo para conversar futilidades ao telefone, esticar-se no sofá para ver TV ou irritar-se após um dia de trabalho árduo. Não, ela sabe que seu lar é o local onde é feito seu melhor trabalho e onde está sua verdadeira realização. Por isso, o tempo que ela dedica à família, cuida da casa, prepara a massa para pães e biscoitos e leva adiante seus projetos como escritora a motiva a trabalhar à noite. Assim que você estiver envolvida com um pequeno trabalho noturno, também se sentirá motivada a continuar!

5. *Use a mente nos trabalhos noturnos* – Mesmo que você esteja fazendo uma tarefa cansativa e rotineira, sua mente deve estar ativa. Com um pouco de insistência, a criatividade ocupará seus pensamentos, enquanto suas mãos estiverem atarefadas. Enquanto a bela mulher de Deus fia os materiais em estado bruto, ela provavelmente imagina o que poderia fazer com o fio e o linho. Talvez ela até faça uma pausa para desenvolver suas idéias. Com o corpo parado e as mãos trabalhando com agilidade, ela cria na mente alguns estilos raros de roupas e decide que enfeites complementarão o tecido, que tipo de desenho servirá para um bordado especial, etc., etc. Mesmo que seu trabalho seja "automático", atribua uma tarefa criativa a seu cérebro, escolha um assunto engraçado ou sério em que pensar ou treine sua mente para sonhar!

Um convite à beleza

E por falar em sonho, quero desafiá-la a sonhar! Antes de tudo, escolha alguma coisa que você goste de fazer, algo pessoal, um desejo que existe dentro de seu coração. Será que você imagina que é capaz de transformar "algo pessoal" em "algo profissional" se trabalhar um pouco à noite? Conheço muitas mulheres que exercem duas profissões – uma durante o dia e outra à noite.

Por exemplo, minha mãe era uma estudiosa de Shakespeare. Dava aulas durante o dia e costurava à noite. Ela fazia minhas roupas quando eu era criança e continuou a me mandar roupas novas todas as semanas em meus tempos de faculdade. Mamãe trabalhava à noite – quase sempre até duas horas da madrugada! – para costurar cortinas, travesseiros, capas para móveis e almofadas de nossa casa. Suas mãos trabalhavam como as de um mágico, fazendo nossos roupões de banho e até mesmo costurando roupinhas para meus "bebês" e um agasalho de Natal para nosso cão! Minha mãe exemplificou um verso de uma poesia encantadora, que diz: "O amor de uma mulher é como um clarão, que durante a noite ilumina a escuridão."[6]

Conheço outras pessoas que também exercem duas profissões. Uma de minhas amigas é professora do curso primário durante o dia e uma talentosa pintora à noite. Outra é diretora de um colégio durante o dia e escritora à noite. Minha filha Courtney dirige meu escritório durante o dia e é chefe amadora de cozinha à noite. Outra amiga cuida dos filhos pequenos durante o dia e dá aulas de pintura a óleo à noite.

Mais uma vez eu peço – e insisto – que você considere a idéia de fazer um pequeno trabalho noturno. Ele a ajudará a concretizar seus sonhos para sua família, para seu lar e para que alguma fonte de criatividade se torne real. Como você poderá, da mesma forma que a bela mulher de Deus, transformar um desejo pessoal em atividade profissional? Faça agora uma oração a Deus, o Criador de todas as coisas belas, e peça a Ele que guie seu coração – e suas mãos – a um pequeno trabalho noturno que a ajude a transformar seus sonhos em realidade.

13

A Mão Prestativa

Sua Misericórdia

"Abre a mão ao aflito; e ainda a
estende ao necessitado."
Provérbios 31.20

A bela mulher aos olhos de Deus é impressionante, não é mesmo? Ela se destaca em integridade de caráter, presteza, diligência, parcimônia, criatividade, organização e microadministração. E como é bom saber que a misericórdia é o próximo item da lista de suas virtudes! Verdadeiramente bela aos olhos de Deus, a mulher de Provérbios 31 trabalha firme para obter lucro, mas ele é usado para beneficiar pessoas que não fazem parte de sua família, porque ela "abre a mão ao aflito; e ainda a estende ao necessitado" (Provérbios 31.20). Seus esforços e suas virtudes beneficiam sua preciosa família, mas ela está sempre pronta para conceder a maravilhosa graça de misericórdia aos desafortunados. Apesar de trabalhar muito para cuidar da casa, esse trabalho não chega a ponto de fazê-la esquecer das necessidades dos outros. Se ela não possuísse essa piedosa misericórdia, suas atividades intensas a tornariam uma mulher ríspida e apressada; ela estaria ocupada demais para preocupar-se com os outros.

Sua mão

Durante 12 capítulos, você e eu nos maravilhamos diante da bela mulher de Deus, de sua força e de seu corpo em constante movimentação. Agora, Provérbios 31.20 concentra nossa atenção em suas mãos.

A primeira parte do versículo diz: "Abre a *mão* ao aflito" (grifo meu). A beleza da mulher misericordiosa de Deus abre-se (tal qual sua mão) à medida que desvendamos aqui o sentido do texto em hebraico. A imagem da mão estendida revela sua natureza generosa e pródiga. Por exemplo, se houver necessidade de dinheiro, ela coloca a mão dentro da bolsa e reparte sua riqueza. Se houver necessidade de alimento, ela oferece um pão feito em casa. Se houver necessidade de roupas, a misericordiosa e generosa mulher de Deus fornece um de seus casacos de lã feito à mão (v. 21), resultado de meses e noites e noites de trabalho (vv. 13, 18-19). (Em sua época, um agasalho de lã custava o salário de dois meses de trabalho![1]) Uma mulher escreveu o seguinte: "Eu afio as habilidades e as agulhas (não minha língua), quando vejo meu próximo trajando farrapos e sofrendo."[2] Sempre que tem condições, a mulher de Provérbios 31 estende a mão para oferecer o que for necessário (Provérbios 3.27). A bela mulher de Deus oferece sua mão prestativa em qualquer oportunidade!

Suas mãos

O versículo prossegue: "e ainda a estende ao necessitado" [na versão da Bíblia utilizada pela autora consta: "e ainda estende as mãos ao necessitado"]. Para a mulher que é bela aos olhos de Deus, a generosidade não termina com um simples ato de doação. A palavra *mãos*, no plural, refere-se àquelas atividades que exigem as duas mãos. Cuidar de um enfermo, por exemplo, é um trabalho que exige o uso das duas mãos. O mesmo se aplica a cuidar de bebês, de crianças pequenas, de idosos. A mulher de Provérbios 31 usa suas mãos para servir. Ela não tem medo de arregaçar as mangas e tocar nas pessoas que estão sofrendo. Seja qual for o caso, ela estende as mãos – abertas, com as palmas para cima – para oferecer quaisquer benefícios ou atividades benéficas.[3]

Seu coração

É muito bom ver a bela mulher de Deus demonstrando atos de generosidade, mas, conforme a sábia mãe menciona a seu filho (e a nós), esse coração de mulher está envolvido com os problemas alheios. Os verbos "abrir" e "estender" sugerem que sua generosidade alonga-se até onde seus meios lhe permitem.[4] Como você sabe, isso exige um coração generoso, cheio de amor e de compaixão, um coração que segue a Deus (v. 30). Essa prezada mulher socorre os pobres e necessitados com todo o seu coração.[5]

Quando ela estende sua misericórdia e compaixão, também estende seu coração. Em vez de cruzar as belas mãos para passar alguns momentos em descontração ou de usá-las para agarrar seus lucros ou mantê-las constantemente ocupadas a fim de ganhar mais dinheiro, ela as estende aos necessitados que se encontram em redor! Ela nota a presença dessas pessoas, solidariza-se com suas necessidades e está pronta a ajudá-las. Seu coração e seus cofres escancaram-se, derramando bênçãos sobre as outras pessoas de maneira liberal e copiosa. Em vez de traçar um círculo ao redor de sua família e de fechar as portas de sua casa, ela segue o que diz seu coração, abre o círculo e acolhe os necessitados. Seu círculo de amor inclui todos os que precisam de ajuda.

Sua obediência à Palavra de Deus

Quando faço palestras, costumo abrir espaço para perguntas e respostas. Faz anos que guardo uma pergunta manuscrita extraída de uma dessas palestras. Ela diz o seguinte: "Com base em seu estudo de Provérbios 31, por favor, comente o fato de não haver nenhuma referência aos tipos de 'ministério' nos quais esta mulher está envolvida."

Quando olho para a bela mulher de Deus, vejo que um de seus ministérios é cuidar dos pobres e dos necessitados (v. 20). Sua generosidade brota não apenas de seu coração, mas da obediência e adoração a Deus. Por ser uma mulher que teme ao Senhor (v. 30), ela vive em obediência à sua Palavra. E veja agora o que diz a Palavra do Senhor sobre o assunto de misericórdia – e observe as bênçãos que Deus promete:

- "Quando entre ti houver algum pobre de teus irmãos, em alguma das tuas cidades, na tua terra que o Senhor teu Deus te dá, não endurecerás o teu coração, nem fecharás as tuas mãos a teu irmão pobre; antes lhe abrirás de todo a tua mão e lhe emprestarás o que lhe falta, quanto baste para a sua necessidade" (Lei de Moisés, Deuteronômio 15.7-8).
- "Ele te declarou, ó homem, o que é bom; e que é o que o Senhor pede de ti, senão que pratiques a justiça e ames a misericórdia, e andes humildemente com o teu Deus?" (Miquéias 6.8).
- "A alma generosa prosperará, e quem dá a beber será dessedentado" (Provérbios 11.25).
- "Quem se compadece do pobre ao Senhor empresta, e este lhe paga o seu benefício" (Provérbios 19.17).
- "O generoso será abençoado, porque dá do seu pão ao pobre" (Provérbios 22.9).

À medida que continuamos a aprender o que é lindo aos olhos de Deus, vemos que o zelo pelos pobres e necessitados é uma de suas principais preocupações. Essa bela mulher aos olhos de Deus e temente a Ele sabe disso, porque conhece a lei de Deus e leva a sério seus mandamentos. Portanto, eu lhe pergunto: Você já parou para pensar que talvez a grande bênção recebida no lar daquela mulher seja resultado de sua generosidade aos pobres e necessitados? Que talvez ela seja rica não por ser uma trabalhadora exemplar, uma administradora competente ou uma mulher de negócios muito esperta, mas sim porque Deus abençoa sua generosidade? É por meio de seu povo que Deus cuida dos pobres e necessitados, e Ele abençoa aqueles que cuidam dessas pessoas em obediência à sua Palavra!

Suas irmãs misericordiosas

Você se lembra de quando começamos nossa escalada para conhecer a bela mulher de Deus? Encontramos grande conforto no fato de que essa mulher é real e de que, por meio da graça de Deus, nós também podemos atingir seu nível de excelência. Outras pessoas tiveram essa mesma grandeza de caráter. Em seu ministério de misericórdia e generosidade, a bela mulher junta-se a outras mulheres da Bíblia, companheiras de misericórdia, que exemplificaram a misericórdia de Deus. Dentre essas mulheres belas aos olhos de Deus, destacamos Abigail, que alimentou 600 homens de Davi (1 Samuel 25); a faminta viúva de Sarepta, que acolheu o profeta Elias (1 Reis 17); a mulher sunamita, que, durante certo tempo, alimentou e deu abrigo ao profeta Eliseu (2 Reis 4); e Dorcas, que fazia roupas para as viúvas da igreja primitiva de Jope (Atos 9). A mulher de Provérbios 31 está incluída nessa lista da elite de Deus – e você também pode estar!

Como ser bela

Assim que você iniciar a graciosa caminhada rumo à generosidade, não terá nenhum problema em encontrar oportunidades de ouro para estender a misericórdia de Deus aos pobres e necessitados. Você acha que algumas sugestões para seguir essa caminhada poderiam ajudá-la? Tente uma destas:

1. Comece em casa – Cada alvorecer apresenta novas oportunidades para você demonstrar misericórdia a outras pessoas, e essas oportunidades não passam despercebidas. Seus filhos vão ser grandemente beneficiados ao verem o exemplo de generosidade da mãe – uma mulher bela aos olhos de Deus.

Edith Schaeffer é um exemplo dessas mulheres prestativas. Os "andarilhos e mendigos" que passavam pela sua casa viajando em trens de carga batiam na porta dos fundos pedindo uma "xícara de café, madame, e quem sabe um pedaço de pão". Ela nunca dispensou ninguém de mãos vazias. Ao contrário, via em cada um desses homens uma oportunidade de fazer alguma coisa por "um destes pequeninos" (Mateus 25.40) e talvez acolher "anjos" (Hebreus 13.2). Pondo em prática sua "arte oculta" da hospitalidade, ela torrava frutos secos, preparava sanduíches generosos e aquecia a sopa que havia sobrado. "Para *mim*? Isto é para mim?" era sempre a reação de espanto quando ela atravessava a porta da cozinha carregando uma bandeja com xícaras de porcelana, um buquê de flores e uma vela acesa – e um exemplar do Evangelho de João para o pedinte ler enquanto comia e levar consigo na viagem. Tempos depois, a Sra. Schaeffer descobriu que sua casa estava marcada com giz – um sinal para outros mendigos de que ali havia uma pessoa amiga. "Eu não me importo", diz Edith com um sorriso. "Fazia parte da educação de nossa filha Priscila, um ensinamento que ninguém mais poderia transmitir a ela!"[6]

2. Faça contribuições regulares à igreja – A maioria das igrejas socorre os sem-teto e necessitados. Por meio de sua contribuição financeira à sua igreja (1 Coríntios 16.2), você está estendendo indiretamente a mão aos pobres (Provérbios 31.20). Minha igreja mantém um "armário dos diáconos" para suprir as necessidades dos sem-teto daqui do Vale de San Fernando. E uma parte dos donativos à igreja é destinada a ajudar nossos missionários. Sua contribuição à sua igreja estende-se em várias direções, muitas vezes pelo mundo inteiro.

3. *Fique alerta* – Observe as pessoas ao seu redor que estão passando por necessidade. Compre mantimentos em dobro e divida com alguém. Ou esvazie sua carteira quando a oferta se destinar a uma causa especial. Você poderá dar roupas usadas de seus filhos a uma família que esteja atravessando tempos difíceis. Quando for a um bazar beneficente, escolha alguns artigos que possam ajudar outras pessoas (uma bengala de alumínio para um coxo, um berço para o bebê de uma mãe solteira). Você também poderá preparar uma refeição especial para uma mulher que esteja fazendo quimioterapia. Para colher as muitas bênçãos concedidas por meio desse ministério de generosidade, você precisa ficar alerta. Assim, essas oportunidades de ouro não lhe passarão despercebidas!

4. *Colabore com uma organização ou com uma pessoa de bem* – Neste momento, estou estudando a vida das mulheres que seguiram a Jesus e colaboraram com Ele financeiramente (Lucas 8.2-3). Elas deixaram um exemplo nobre, porque você e eu também podemos incentivar muitas pessoas e organizações com nossa contribuição financeira. Você poderá ajudar diretamente uma organização missionária ou auxiliar uma família missionária que conheça. Poderá colaborar com alunos do seminário doando fundos para bolsas de estudos ou ajudando na compra de livros. Poderá prestar auxílio financeiro a jovens que estejam em viagens missionárias de verão. Que tal perguntar a Deus como você poderá estender suas mãos e participar de sua obra?

5. *Ore sobre um projeto pessoal* – Enquanto estiver pedindo a orientação de Deus, peça também que Ele lhe mostre um projeto

pessoal por meio do qual você possa contribuir financeiramente. Você se surpreenderá ao ver a resposta de Deus a essas orações – conforme a história a seguir ilustra.

Enquanto eu assistia a uma conferência sobre missões, recebi um desafio pessoal ao saber como a Missão Central Americana (CAM) teve início. Em uma tarde do ano de 1879, duas mulheres canadenses, cujos maridos possuíam plantação de café na Costa Rica, estavam bebericando chá e conversando. Profundamente preocupadas diante das necessidades espirituais do povo que vivia naquela parte do mundo e conhecendo as próprias limitações, elas começaram a pedir a Deus que lhes apresentasse uma solução. Em fevereiro de 1891, chegou o primeiro missionário vindo dos Estados Unidos. Das orações daquelas duas mulheres iguais a você e a mim nasceu a CAM! Quando você ora, Deus pode tocar seu coração generoso e dar-lhe uma visão sobre esse tipo de ministério. Não seria maravilhoso?

6. Erre em prol da generosidade – O evangelista Billy Graham sorria com orgulho ao falar de sua esposa Ruth: "Ela administra os assuntos fiscais da casa – com... mais generosidade que precisão!"[7] Como é bom ter um coração generoso! Ora, da mesma forma que a água corrente, o dinheiro é menos útil quando fica parado. Você não vai querer ser como o Mar Morto em Israel, imenso e alimentado por água fresca, mas inútil e morto porque não há vazão para sua água!

Uma advertência: Se você for casada, converse com seu marido antes. Peça sua opinião e veja quem ele deseja ajudar financeiramente. Concorde com ele e respeite sua decisão. Em seguida, prepare sua mente, seu corpo, suas mãos e seu coração para trabalhar nesse projeto.

7. Seja um exemplo de amor – Quando alguém lhe perguntou como é o amor, Agostinho, sacerdote da Igreja Primitiva, respondeu: "O amor tem mãos para ajudar os outros. Tem pés para correr atrás dos pobres e necessitados. Tem olhos para enxergar a miséria e a penúria. Tem ouvidos para ouvir os suspiros e tristezas dos homens. O amor é isso." Que bênção você se torna para os outros quando vive este tipo de amor. Ele é verdadeiramente lindo aos olhos de Deus!

Um convite à beleza

Agora, minha querida, chegou a hora de uma avaliação. É maravilhoso ser uma excelente dona-de-casa, saber lidar com suas habilidades, aperfeiçoar os talentos concedidos por Deus, brilhar na profissão, saber que seu marido está feliz, manter controle rígido sobre as finanças da família e ver sua poupança aumentar e seus investimentos alcançarem as alturas. Mas Deus tem em alta estima esta grande marca de beleza em sua vida: a misericórdia!

Mais do que qualquer outra virtude que vimos até agora, a misericórdia reflete a presença do Senhor em seu coração e em sua vida. A misericórdia incorpora a encantadora fragrância do Senhor a tudo o que você é e a tudo o que você faz. A misericórdia agrada ao Senhor e é bela aos olhos dele. Estou orando neste momento para que você sinta o desejo de ser generosa e peça que Deus a ajude a ser uma pessoa prestativa, amorosa, misericordiosa, uma mulher verdadeiramente bela aos olhos do Senhor, que se deleita (e sobressai!) ao estender a mão a qualquer pessoa necessitada. Faça isso – em nome do Senhor!

14

Uma Bênção Dupla

Sua Preparação

"No tocante a sua casa, não teme a neve,
pois todos andam vestidos de lã escarlate."
Provérbios 31.21

Ninguém, proclamou Jesus em seu famoso Sermão do Monte, se vestiu como o esplêndido e grandioso rei Salomão do Antigo Testamento (Mateus 6.29).

Mas a família da mulher de Provérbios 31 deve ter chegado perto!

Que alegria deveria haver no coração de seus queridos – e que alegria ela lhes proporciona quando eles se apresentam trajando as obras de arte fiadas, tecidas e ornamentadas por ela. Eles andam pelas ruas geladas de Israel vestidos como se pertencessem à realeza. Quando a família dela passa, atrai a atenção de todos!

Antes de você começar a pensar que a bela mulher de Deus perdeu a cabeça, que ela está exageradamente preocupada com as aparências, que encontramos um defeito nela, e antes que você a classifique de esbanjadora ou fútil, lembre-se de que existe algo que essa mulher piedosa conhece bem: "Enganosa é a graça e vã a formosura" (Provérbios 31.30). Muito longe de ser vaidosa ou frívola, a bela mulher aos olhos de Deus demonstra mais uma vez a preocupação e o interesse pelas outras pessoas, a criatividade e a grande habilidade que ela possui para trabalhar. Esta é a única ocasião em que seus esforços são visíveis a todos, porque seu caráter revela-se nas vestimentas de sua família.

Olhando para o futuro

É verdade! Cai neve em Israel! Para mim, foi difícil imaginar isso, enquanto Jim e eu sentíamos um calor enorme durante nossos estudos, quando caminhávamos pelas colinas secas e áridas, mais preocupados com a quantidade de água potável que carregávamos do que com as roupas que usávamos ou com nossa aparência! Apesar de ter recortado uma fotografia do *Los Angeles Times* mostrando alguns judeus diante do Muro das Lamentações em Jerusalém atolados em cerca de 30 centímetros de neve, eu ainda relutava em acreditar que nevava em Israel.

Fiz essa pergunta a nosso guia Bill Schlegel, um norte-americano que morou em Israel durante 13 anos.

– Sim – ele respondeu com sinceridade –, pode acreditar!

Em seguida, ele descreveu o frio, a umidade e a ventania do inverno em Jerusalém que o povo tinha de suportar dentro das casas frias de pedra, nas ruas de pedra e atrás de muros de pedra, onde não havia nenhuma fonte de calor. O próprio Bill passou dois meses de inverno em Israel sem nenhum aquecedor. Naquele inverno, a neve acumulada nas ruas chegou a 40 centímetros de altura – duas vezes! Apesar do calor implacável que eu senti, dizem que neva quase todos os anos na Palestina.

A bela mulher aos olhos de Deus sabe que vai nevar em sua terra natal, mas "no tocante a sua casa, [ela] não teme a neve" (Provérbios 31.21). Por quê? Porque ela está preparada para o futuro, seja lá o que for que lhe reserve. Sempre olhando para a frente, ela supre as necessidades de sua família, "pois todos andam vestidos de lã escarlate", conclui o versículo 21.

Essa atitude de precaução e suas medidas práticas não deveriam ser surpresa para nós. Nos 13 capítulos anteriores, conhecemos o coração amoroso da mulher de Provérbios 31, sua sabedoria, sua disposição, sua habilidade para planejar e seu tino administrativo. Sabemos que ela planeja e está sempre olhando para o futuro (vv. 15 e 27). É fácil imaginar que, muito antes de haver caído um único floco de neve, uma cena como esta deve ter ocorrido:

Certa manhã, ao levantar-se de madrugada (v. 15), a bela mulher aos olhos de Deus orou por sua querida família. À medida que ela colocava a vida de cada um nas mãos de Deus e pensava na melhor maneira de demonstrar seu amor por eles, pegava sua lista de "coisas para fazer" e fazia várias anotações: "Preparativos para enfrentar o inverno. Buscar lã. Comprar um pouco de tinta vermelha. Fiar. Tecer. Fazer casacos de inverno." Ela abençoava sua família com as roupas de inverno de que todos necessitavam!

Zelo abrangente

Observe quem são as pessoas afortunadas que serão abençoadas. O versículo diz que "*todos* andam vestidos de lã escarlate" (Provérbios 31.21, grifo meu). Cada pessoa que vivia debaixo do teto dessa bela mulher vestia um belo casaco de lã escarlate para se aquecer no inverno.

Ora, a mulher de Provérbios 31 cuida de todos. É por isso que chamo essa atitude de "zelo abrangente"! Vimos no versículo 20 o zelo que ela dedica aos pobres e aflitos. Seja qual for a necessidade – fornecer roupa ou alimento, cuidar de um doente ou limpar uma casa – ela se oferece para ajudar.

A bela mulher aos olhos de Deus também zela por seus parentes. Pense em quem mora sob seu teto. Já conhecemos seu marido e sabemos que existem crianças na casa. Em seu tempo (e muitas vezes também hoje em dia), os pais idosos moravam na mesma casa. Filhos casados e netos provavelmente também residiam ali. E talvez sobrinhos ou sobrinhas órfãos e viúvos ou viúvas. E, oh! sim, os criados (v. 15). Um grande grupo dependia de sua provisão, e ela abria a mão com generosidade, pois "todos andam vestidos de lã escarlate".

Roupas dignas de um rei

E por que a bela mulher aos olhos de Deus vestia sua família com roupas de cor "escarlate"? A cor revela muitas coisas sobre o zelo dessa mulher:

- *Calor* – Vermelho ou escarlate (no sentido de "brilhar") indica retenção de calor.[1]
- *Bela aparência* – Escarlate é a cor das roupas dos reis[2] e significa dignidade,[3] luxo e suntuosidade.[4]
- *Qualidade* – Somente o melhor era destinado à família desta bela mulher de Deus. O fato de todos estarem vestidos com lã – e lã escarlate! – revela a qualidade de roupas que ela lhes provê. Naquela época, e também hoje, poucas pessoas possuíam mais de um sobretudo de lã.
- *Espessura dupla* – Tenho certeza de que você conhece, pelo tato, a diferença entre uma lã barata e rala e outra que é cara e espessa. Bem, um dos significados da palavra hebraica para escarlate é "duplo", e, evidentemente, a bela mulher de Deus só fazia roupas de qualidade e de espessura dupla, estendendo, deste modo, uma bênção dupla a sua prole.

- *Tintura dupla* – A lã precisava ser tingida de escarlate, e, para que essa cor ficasse bem evidente, a lã era mergulhada duas vezes na tinta.
- *Valioso* – Em razão da tinta, do trabalho e do tempo despendido, os casacos escarlates eram luxuosos e valiosos.[5]

É surpreendente saber que a simples menção da vestimenta escarlate revela muita coisa sobre o coração da costureira e transmite uma mensagem poderosa vinda do coração dessa mulher para o coração daqueles para quem ela costura!

Como ser bela

Mais surpreendente ainda é saber que você e eu somos capazes de transmitir a mesma mensagem poderosa de amor. Os membros de nossa família são abençoados quando temos o cuidado de preparar e de suprir suas necessidades futuras. Faça como a bela mulher de Deus, que se arma de um calendário e de uma lista de "coisas para fazer", prevê as necessidades de sua família e prepara-se para atendê-las. Aqui estão algumas sugestões para serem colocadas nos primeiros lugares de sua lista de "coisas para fazer".

1. Determine quais são as necessidades futuras – Abra um calendário de um ano inteiro e determine suas necessidades futuras. Pense no trabalho de manutenção que precisa ser feito dentro de casa – para o inverno, para o verão, para limpar os móveis estofados, as cortinas e os carpetes. As roupas de lã necessitam receber um tratamento contra traças e bolor. É preciso encomendar lenha para a lareira.

A seguir, pense nas tarefas ao redor da casa. Há uma piscina para ser esvaziada, rosas para serem podadas ou calhas para serem limpas? Quando você vai preparar seu jardim e plantar sementes e bulbos?

Alguma ocasião especial para ser comemorada em família está se aproximando? Alguém está prestes a receber diploma, casar ou ter um bebê? Você marcou todos os aniversários e datas especiais em seu calendário? E há também o Dia de Ação de Graças, o Natal, a Páscoa e as férias. Tudo isso exige preparação! E a lista prossegue com preparativos para a volta à escola, convidados especiais para jantar, reuniões de família, etc., etc.

Marque cada evento em seu calendário. Seu objetivo é, como o da bela mulher de Deus, ter uma visão ampla, olhar para a frente com olhos de amor e – agindo com sabedoria – preparar-se!

2. Prepare-se para enfrentar emergências – Este item não fazia muito sentido para mim, mas, depois do terremoto de 6.8 na escala Richter que minha família enfrentou aqui no sul da Califórnia em 1994, ele passou a ocupar o primeiro lugar de minha lista! Na época, fomos pegos de surpresa e não tínhamos uma lanterna sequer. Hoje temos uma em cada cômodo da casa... na bolsa... na gaveta... na maleta... e no carro. E eu nunca saio de casa sem levar uma!

Essa preparação aplica-se a qualquer pessoa e em qualquer lugar, e não apenas aos que vivem em regiões sujeitas a terremotos. Meus pais vivem em uma região onde ocorrem tornados – e eles estão preparados. Minha filha Courtney morou em Kauai (o nome "Furacão Iniki" lhe diz alguma coisa?) e agora vive em Fort Collins, Colorado, um local que sofreu uma devastação em razão de uma violenta enchente. Você mora em uma região onde costuma nevar – e onde existe a possibilidade de avalanches? Ou à margem de um rio – que transborda quando a chuva é muito intensa?

Deixe-me repetir o que eu também preciso ouvir: qualquer pessoa em qualquer lugar tem de preparar-se para emergências. Todos necessitam de treinamento contra incêndio, de planos de emergência e de materiais de primeiros socorros, comida e água armazenadas. A bela mulher de Deus "não teme" (v. 21), porque está *preparada,* e – com um pouco de preparação – você poderá ter a mesma paz de espírito.

3. Cuide das roupas – Quando se trata de cuidar das roupas da família, o item "mantê-las limpas" deve ocupar o primeiro lugar da lista. Escolha um dia para lavar roupas *e* não se esqueça – esta é a parte mais difícil para mim! – de que a tarefa só estará completa depois que você lavar, secar, dobrar, passar e guardar tudo! Seu objetivo é prover roupas que estejam prontas para usar, e isso significa costurar as partes soltas e pregar os botões que caíram. Cuide também para que as roupas fiquem protegidas contra traças, bolor e poeira, quando necessário. O valor de suas roupas vai aumentar. Pergunte a seu agente de seguros! Na época da mulher de Provérbios 31, as roupas eram usadas como dinheiro para penhor e para comércio (Provérbios 20.16).

4. Leve em consideração a qualidade – Da mesma forma que a Marinha necessita "apenas de alguns homens bons", sua família necessita apenas de algumas roupas boas. É evidente (pela cor escarlate) que a bela mulher de Deus se preocupa com a qualidade das roupas de sua família – e não com a quantidade!

5. Leve em consideração o conforto – O conforto, a proteção, o carinho e a saúde de sua família são, sem dúvida, uma grande preocupação para você, a mesma preocupação que a bela mulher de Deus sente. A motivação que existe por trás das vestimentas escarlates é conseqüência da preocupação que ela sente quanto ao conforto de sua família. As roupas são vermelhas, de espessura dupla e de alta qualidade porque precisam ser quentes e bonitas – uma bênção dupla!

6. Leve em consideração a beleza – A mulher que é bela aos olhos de Deus serve de exemplo para nós em tudo o que faz, inclusive na maneira de prover roupas para sua família. Sabendo que essa mulher é uma artista e tecelã profissional, você não acha que ela deve fazer roupas belas para a casa toda? Evidentemente, essas roupas são coloridas e requintadas, ornamentadas com pérolas, jóias e fios de ouro (Provérbios 31.21,22,24). Por conhecer as virtudes da mulher de Provérbios 31, tenho certeza de que sua forma de expressar a beleza não tem fim. As roupas que ela faz são simplesmente outra expressão de seu grande amor – que você também pode expressar à sua família, permitindo que ele flua direto de seu lindo coração.

Agora, querida leitora, não posso terminar este assunto sem falar de minha amiga LaTonya, mãe de cinco filhas pequenas. Meu dia torna-se mais feliz quando a vejo nas manhãs de domingo ao lado de seu sorridente marido e daquelas cinco criaturinhas maravilhosas, todas trajando lindos vestidos. Não posso imaginar o tempo que LaTonya leva para pentear, trançar, prender elástico, fazer rabos-de-cavalo, etc. Usando sapatinhos de couro engraxados e vestidinhos engomados, com rostinhos bem lavados, cabelinhos brilhando, bolsinhas e Bíblias nas mãos, essas criaturinhas são testemunhas do amor zeloso de LaTonya. A família dela é verdadeiramente abençoada pela devoção que ela lhe dedica – e a sua também poderá receber essa mesma bênção!

Um convite à beleza

À primeira vista, um capítulo que trata de roupas parece não ter muita importância, não é verdade? Mas, minha querida, este capítulo fala de outra virtude que a bela mulher aos olhos de Deus possui – a preparação.

Primeiro, saiba que o trabalho de preparação é importante aos olhos de Deus e Ele orientará tudo o que você planejar. Afinal, Ele provê tudo para nós. Seu nome é Jeová-jirê, que significa Deus proverá! Você e eu espelhamos esse aspecto de seu caráter quando suprimos as necessidades de nossos queridos, e essa providência torna-se mais fácil – e mais copiosa – quando planejamos e preparamos. Segundo, quando trabalhamos para prover roupas para nossa família e quando nos preparamos para atender às suas necessidades futuras, nossas ações transmitem uma mensagem de amor. Se você preparar-se para enfrentar as intempéries da vida e depositar sua confiança em nosso Deus zeloso, amoroso e onipotente, jamais haverá lugar para medo em sua casa. Protegidos pela preparação feita por você *e* pela provisão de Deus, seus queridos receberão bênção dobrada!

15

Uma Tapeçaria Belíssima

Seu Trabalho com as Mãos

"Faz para si cobertas, veste-se de
linho fino e de púrpura."
Provérbios 31.22

Antes de você e eu termos nosso primeiro – e único! – vislumbre da mulher que é bela aos olhos de Deus realizando algo para si, vamos fazer uma pausa, olhar para trás, para o caminho que estamos trilhando. Desde que iniciamos a escalada, no primeiro capítulo (lembra-se de Masada?), estamos dando um passo após o outro em direção ao tipo de beleza que Deus aprecia, guiadas pela encantadora mulher de Provérbios 31.

Vimos em seu admirável caráter que a bela mulher de Deus é realmente uma pessoa virtuosa e com excelentes qualidades. Vimos como a força de sua mente e de seu corpo lhe dá ânimo para lidar com os desafios e os problemas da vida diária. Maravilhamo-nos diante de seu amor constante e profundo pelo marido e pelos filhos, um amor que se destaca por meio de suas ações. Ela não considera alto demais o preço pago pelo sacrifício em prol deles! E, ultrapassando as ombreiras da porta da casa, seu amor alcança os necessitados e a comunidade. Não temos dúvida sobre sua capacidade de administração, sua criatividade ou sua incrível diligência.

Conforme mencionei antes, o simples fato de sobreviver era uma questão de suma importância para o povo do Antigo Testamento, à medida que um novo dia despontava naquela terra destituída de recursos. Vimos essa mulher, que é um verdadeiro exército de virtudes, prover os elementos essenciais para a vida de forma abundante – em quantidade tão grande que ela consegue o suficiente para repartir com os pobres e vender uma parte aos que têm condições de pagar! Agora, depois de prover alimentos e roupas para a família, ela volta a atenção para a decoração da casa. Fomos autorizadas a dar uma rápida olhada em sua casa e tivemos um vislumbre de como é essa mulher bela aos olhos de Deus! Mas eu não quero atropelar o texto! Primeiro vamos conhecer o seu lindo lar!

Casa bonita

Que mulher não gosta de embelezar sua casa? E a bela mulher de Deus não era diferente! Ela a todas sobrepujava (Provérbios 31.29)!

Provérbios 31.22 diz: "Faz para si cobertas." À primeira vista, essa frase parece descrever roupas para aquecer-se no inverno, mas a palavra "cobertas" significa peças de decoração para a casa. Alguns tradutores da Bíblia dão a essas peças o nome de carpetes, colchas e cortinas.[1] Há uma versão que diz: "Faz para si acolchoados!"[2]

Conforme vimos, o trabalho de tecelagem exerce um papel importante na vida da bela mulher aos olhos de Deus e em sua cultura palestina. Por ser uma artista criativa com um produto final em mente, ela busca lã e linho e transforma essas matérias-primas em roupas de alto estilo. Trabalhando até altas horas da noite no fuso e na roca, ela fia a lã e o linho, transforma-os em maravilhosos tecidos que só um artista poderia imaginar e usa-os para vestir sua família – com a cor vermelha da realeza, roupas dignas de reis! Mas ainda sobram fios, tecidos, criatividade e energia! Então, por que não fazer tapeçarias de beleza para sua casa, tapeçarias dignas de reis?

E assim, com as mãos atarefadas e o coração transbordando de amor, a bela mulher aos olhos de Deus começa a fazer travesseiros, cobertores, almofadas, cortinas, tapetes, quadros, toalhas de mesa, caminhos de mesa, descansos para copos e objetos de tapeçaria para embelezar sua casa. Nossa bela tecelã também desenha e confecciona guardanapos, toalhas de mão, lençóis, mantas e colchas para cobrir a cama. Uma variedade de cores, texturas, desenhos e estilos acrescentam um toque de beleza e aconchego à sua casa de pedra, transformando-a em um local agradável para os sentidos. Ela é uma verdadeira artista! Cada objeto feito por suas mãos é uma obra de arte!

Esse fato é comprovado por uma imagem escondida no texto de versículo 22, evocada pela palavra *faz* ("Faz para si cobertas"). Nossa mulher de Provérbios 31 faz cobertas no sentido básico: ela usa as mãos para fazer este difícil trabalho. Mas a palavra *faz* também significa "estende" ou "cobre". O idioma hebraico desenha o quadro de uma bela cama, confortável e luxuosa.[3] Quando a bela mulher de Deus termina o trabalho, sua cama está "estendida" com colchões, travesseiros e colchas, de várias cores e feitos à mão.[4] De fato, sua casa inteira é ornamentada com rica e bela tapeçaria!

Itens de beleza

Antes de sairmos da casa da mulher de Provérbios 31, vamos dar uma olhada em nosso lar e examinar a tapeçaria de rara beleza que estamos tecendo para nossa Bela Casa.

Item 1 – Simule ser uma visita. Caminhe pelo lugar onde você mora. O que você está vendo? O que chamaria a atenção de uma visita? Seu lar é acolhedor? O que a agrada e o que você gostaria de aperfeiçoar? Alguma coisa é desagradável aos olhos? O ambiente está em desordem? Como dona-de-casa – a responsável pela boa arrumação do lar –, você está em posição de causar boa impressão aos visitantes e criar um ambiente acolhedor e belo.

Item 2 – Planeje embelezar seu lar. A bela mulher de Deus é uma artesã! Tenha isso em mente quando fizer um inventário de seu lar. Em que projetos você está trabalhando? Neste momento, estou à procura de um tecido vermelho estampado para confeccionar uma cortina para a janela de meu escritório. Seus armários estão necessitando de polimento ou de nova pintura? Há algumas manchas de gordura no carpete que possam ser removidas com um pouco de esforço? As vidraças estão necessitando de uma boa limpeza? Que consertos estão sendo adiados?

Nem tudo isso custa dinheiro. Na verdade, a melhor coisa para embelezar seu lar é mantê-lo limpo e sem desordem! (Vou limpar meu guarda-roupa assim que terminar este livro! O fato de escrever sobre desordem deu-me essa convicção!) Algumas melhorias mais dramáticas devem partir de seu coração e de sua mente. Estou falando de colocar uma flor no vaso, enfeitar a casa com uma peça colorida ou interessante, mudar os móveis de lugar, dar um toque especial à mesa do café e usar a imaginação para decorar seu lar com carinho e exclusividade.

Item 3 – Discuta o assunto com seu marido. A bela mulher de Deus possui uma lista de prioridades. O primeiro item da lista é vestir a família. Em seguida, vem a casa. Consulte seu marido – e seu talão de cheques – se este é o momento certo de gastar dinheiro com a decoração do lar. Afinal, a bela mulher aos olhos de Deus não é precipitada (Provérbios 19.2)!

Item 4 – Trabalhe algumas horas extras. Estou falando de horas extras em casa, não no escritório. A bela mulher de Deus trabalha até tarde (Provérbios 31.18). Reserve algumas horas no sábado ou ao anoitecer para trabalhar no projeto de embelezar o lar.

Não importa como é o seu lar; ele expressa o que *você* é – *suas* virtudes, *suas* habilidades, *seu* amor. É possível que você não possa determinar o tipo de lar que gostaria de ter, mas pode torná-lo belo. Pode controlar se está limpo, organizado e impecável. Também pode escolher cores, estilos e arrumações de sua preferência.

Talvez seu lar não seja o ideal. Pense, então, em alguns lugares que suas irmãs da Bíblia chamaram de lar! Eva cuidou de um jardim. A Sra. Noé administrou uma arca. Sara foi rainha de uma tenda. Ester morou no palácio de uma terra desconhecida. Maria passou algum tempo em um estábulo. A sogra de Pedro ofereceu hospitalidade em sua casa de pedra. Mesmo que necessite mudar de casa com freqüência, *você* é uma mulher bela, cujo coração também é lindo, capaz de transformar uma casa em lar! Você é a responsável pelos trabalhos manuais e pela decoração que fazem de sua residência um "Lar, doce lar"!

Tive de enfrentar um desafio como dona-de-casa quando eu e minha família trabalhamos como missionários em Cingapura. Nas duas casas em que moramos, tudo era de concreto – paredes, pisos e tetos. (Para limpar a casa, ligávamos a mangueira e lavávamos todos os cômodos com jatos d'água, por dentro e por fora!) Ali, na linha do Equador, apesar de estar tão distante de meus parentes e amigos, eu "edifiquei" meu lar dando a ele um toque de carinho e amor sempre que possível (Provérbios 14.1). Depois, quando retornamos aos Estados Unidos, enfrentamos outros desafios. Mudamos de casa quatro vezes em dois meses. Em duas delas, dormimos no chão em sacos de dormir. Cada lugar, porém, era um lar, porque eu estava determinada a transformá-lo em lar! Até mesmo quatro sacos de dormir estendidos no chão, um ao lado do outro, podem ser decorativos em um lugar que você transformou em lar!

Um toque de classe

Até que enfim! Todos estão bem cuidados. Os desabrigados estão aquecidos. Os membros da família estão deslumbrantes em seus trajes vermelhos. A casa está bela e em condições de oferecer amor e paz a todos que atravessam suas portas. Agora, chegou o momento de a bela mulher de Deus pensar na roupa que ela vai usar. É hora de colocar os ornamentos de acordo com sua posição social e seus recursos.

Vimos que ela "veste-se de linho fino e de púrpura" (Provérbios 31.22). Por ser uma artista inata e uma senhora distinta, ela dá um toque de classe às suas roupas. A bela mulher de Deus merece vestir-se de linho fino e de púrpura – e essa roupa lhe assenta bem! Como uma mulher de virtude, sabedoria, força e dignidade, ela é exatamente o tipo de pessoa que deve usar roupas dignas da realeza. Essas roupas são um reflexo de seu caráter.

Provérbios diz que as roupas dela são feitas de linho fino, um tecido feito do fio da própria planta. A elegância provém do tecido que ela costurou, e agora, sob a luz do sol, o linho brilha intensamente. Os modelos que ela faz para si revelam sua vestimenta interna de "força e dignidade" (v. 25).

Vimos também que ela se veste de púrpura, um corante raro e muito caro extraído em quantidades mínimas de um molusco encontrado na costa oriental do mar Mediterrâneo.[5] Provavelmente, a bela mulher de Deus trocou seu trabalho artesanal por esse raro e caro corante quando os navios mercantes chegaram à sua terra. A cor púrpura é outra evidência de seu trabalho árduo e de sua competente administração.

Um toque de bom gosto

Toda essa conversa sobre artigos caros e delicados pode ter um ar de arrogância, ostentação ou frivolidade, mas precisamos ter alguns fatos em mente.

Primeiro, a bela mulher de Deus não possui um armário repleto de roupas. Ela possui algumas peças de qualidade, e cada uma consumiu meses (talvez um ano) de trabalho árduo.

Segundo, Provérbios 31 é um poema de louvor. Além de ser elogiada por suas inúmeras virtudes, ela também é elogiada pela beleza de seu guarda-roupa. Seus trajes são fantasticamente cortados de tecidos feitos à mão, adornados com intricados trabalhos de agulha; são quentes, vistosos e coloridos — e ela faz tudo isso sozinha, iniciando com o linho e a lã em estado bruto (v. 13) e terminando com esplêndidas vestimentas.

Lembre-se também de que a bela mulher aos olhos de Deus nunca se esquece de suas prioridades. Ela jamais desfila com roupas luxuosas para humilhar os outros. Essa atitude egoísta não seria bonita nem digna de louvor! Ela se coloca corretamente no último lugar da lista.

Finalmente, lembre-se de que essas palavras de Provérbios 31 foram proferidas por outra mulher nobre. E quem conhece melhor uma mulher senão outra mulher? A mãe do rei Lemuel faz questão de dizer como a mulher dos sonhos de seu filho deve vestir-se. Essa mãe sábia concentra-se nos seguintes tópicos:

- A *posição* na sociedade que a bela mulher de Deus ocupa — Ela é uma mulher digna, rica e ocupa uma posição de destaque, e suas roupas são apropriadas para essa posição.
- Seu *hábito* de trabalhar arduamente e seu competente tino administrativo que redundam em experiências práticas — Ela possui dinheiro e está disposta a investir tempo e esforços para vestir-se de acordo com sua posição.
- Sua *posição profissional* — Ao atravessar as ruas estreitas de pedra que cruzam Jerusalém, ela faz propaganda de suas habilidades manuais. Uma costureira não podia andar maltrapilha!
- Seu *caráter louvável* — Os trajes da esposa virtuosa falam por si de seu verdadeiro caráter e dignidade.

Com essa perspectiva em mente, fazemos coro com a mãe do jovem príncipe quando ela exulta: "Dai-lhe do fruto das suas mãos, e de público a louvarão as suas obras" (Provérbios 31.31)! Essa mulher inteiramente bela aos olhos de Deus é merecedora de tanta elegância.

Como ser bela

Considerando o que Deus está dizendo em Provérbios 31.22 sobre nosso guarda-roupa pessoal, acredito que sua mensagem nos transmite três idéias principais.

1. *Zelo* – O zelo pelas roupas é tão importante quanto as próprias roupas. Seu zelo é demonstrado quando você emenda uma parte rasgada, prega um botão solto, remove uma mancha, lava as roupas sujas e (não se esqueça de que este último item é muito importante) as passa a ferro, eliminando as rugas e vincando as pregas! A maneira como você zela por suas roupas revela uma parte de seu caráter e daquilo que você valoriza. Portanto, reflita sobre a condição e a aparência de suas roupas. Que mensagem as suas roupas transmitem? A beleza começa com asseio e ordem.

2. *Reflexo* – Você não é a única pessoa influenciada por sua aparência. Seus trajes e sua aparência também enviam uma mensagem sobre sua família. Quando você mantém certo nível de asseio e dignidade em público, torna-se um reflexo positivo para o nome e reputação de seu marido e de seus filhos.

O marido da bela mulher de Deus "é estimado entre os juízes" (v. 23). Ele não é um pobre homem casado com uma mulher grosseira ou desleixada. (Um autor sábio diz o seguinte: "A palavra SRA. antes de seu nome não significa *suja, rasgada e andrajosa*!"[6]) Não, o marido da mulher de Provérbios 31 é conhecido como um homem casado com uma *dama*, uma mulher meticulosa, afável, atraente e de caráter.

E a situação não é diferente para você ou para mim! Nossa aparência é um reflexo direto sobre nosso marido e nossos filhos – e até mesmo sobre nossos pais e a empresa para a qual trabalhamos! As outras pessoas formam opiniões sobre a sua família baseadas no que vêem em você, e isso talvez tenha relação com sua aparência. Eu tento seguir este conselho: "Seja diferente das outras pessoas em asseio, ordem e boa aparência. É sempre melhor alcançar qualquer posição aparentando estar um pouco melhor do que um pouco pior que os outros."[7]

3. Padrões – Por sermos mulheres que buscam o tipo de beleza altamente valorizado por Deus, você e eu sentimos o desejo de seguir os padrões dele. E quais são exatamente esses padrões? A *modéstia* encabeça a lista, que continua com *sobriedade* (isto é, agir ou vestir-se de maneira correta e comedida), *moderação*, *discrição* e *simplicidade* (veja 1 Timóteo 2.9 e Tito 2.5). Essas palavras podem parecer fora de moda, mas são qualidades que fluem de um coração que professa ser piedoso (1 Timóteo 2.10). E o nosso Deus amoroso preocupa-se mais com a vestimenta do coração do que com a vestimenta externa, do corpo físico: "Não seja o adorno das esposas o que é exterior, como frisado de cabelos, adereços de ouro, aparato de vestuário; seja, porém, o homem interior do coração, unido ao incorruptível de um espírito manso e tranqüilo, que é de grande valor diante de Deus" (1 Pedro 3.3-4). Amém!

Um convite à beleza

Agora é a sua vez de expressar-se com criatividade na beleza de seu lar e de suas roupas. Tudo a seu tempo!

A mulher de Provérbios 31, que é bela aos olhos de Deus, é uma tecelã, e você também pode ser. Pode tecer peças de rara beleza em seu lar – não importa como ele seja! De que você vai precisar? Em uma só palavra, de amor. Com fios de amor tecidos por mãos amorosas, que expressam um coração cheio de amor, você poderá, usando a criatividade, transformar uma tenda em lar. Essa transformação ocorre todas as vezes que seu coração e suas mãos laboriosas trabalham juntos.

Saiba, então, minha querida tecelã de beleza, que Deus nos oferece uma oportunidade atrás da outra para que expressemos e compartilhemos nosso amor com criatividade. A decoração de seu lar e seu guarda-roupa podem abençoar muitas pessoas pela beleza que ali existe. Lemos no livro de Salmos: "Os céus proclamam a glória de Deus, e o firmamento anuncia as obras das suas mãos" (19.1). Em uma escala menor, seu trabalho manual também pode proclamar a glória de Deus *e* demonstrar uma parte da beleza dele. Ponha seu coração em movimento, sua mente para pensar e seus dedos para trabalhar e veja que belas peças você poderá produzir para glorificar o seu Deus maravilhoso!

16
Um Homem de Influência

Seu Marido

"Seu marido é estimado entre os juízes,
quando se assenta com os anciãos da terra."
Provérbios 31.23

Embora nossa cultura não valorize esse aspecto, um dos papéis mais importantes da esposa é apoiar o marido. A mulher que é bela aos olhos de Deus sabe como fazer isso. Cito o exemplo de Susannah Spurgeon, esposa de Charles Spurgeon, o famoso pregador do Tabernáculo Metropolitano de Londres. O ministério de seu marido estava em franca ascensão, mas ele começou a preocupar-se por não estar dando atenção aos filhos. Certa noite, Charles Spurgeon voltou para casa mais cedo do que costumava. Ao abrir a porta, surpreendeu-se por não ver nenhuma das crianças no vestíbulo. Enquanto subia a escada, ele ouviu a voz da esposa e notou que ela estava orando com os filhos, apresentando-os um por vez diante do trono do Senhor. Depois que ela terminou a oração e fez as recomendações rotineiras às crianças, Spurgeon pensou: *Posso prosseguir com meu trabalho. Meus filhos estão sendo muito bem cuidados.*[1] Imagine só! Por ser fervorosa e cumpridora de seus deveres em casa, a Sra. Spurgeon deu o mundo a Charles Haddon Spurgeon, cujas palavras continuam a emocionar e a convencer corações até hoje, e quatro filhos que também se tornaram ministros do evangelho.

Casamento com um homem influente

A esta altura de Provérbios 31, finalmente vamos conhecer um pouco o marido da bela mulher de Deus! Você e eu fomos apresentadas a ele no versículo 11 como um marido confiante que repousa a alma no caráter de sua esposa, que é bela aos olhos de Deus. Ele é o homem afortunado a quem ela promete fazer bem todos os dias de sua vida (V. 12). Vimos as refeições que ela lhe prepara (V. 15) e como administra seu lar (V. 15) e as finanças (V. 11). E, graças ao trabalho manual que ela faz, ele se veste esplendidamente de lã escarlate (V. 21). "Mulher virtuosa, quem a achará?" (V.10.) Bem, esse homem achou! Deus o agraciou com uma mulher bela aos seus olhos!

Além de ser ricamente abençoado por Deus por intermédio da esposa, esse homem é uma bênção para muitas pessoas. Veja, ele é um homem infl uente. Eu explico.

"Seu marido é estimado entre os juízes, quando se assenta com os anciãos da terra" (Provérbios 31.23). Na época da mulher de Provérbios 31, as cidades eram cercadas por muros de proteção. A entrada e a saída eram feitas pelos portões. Essas entradas com portões continham um ou dois cômodos grandes embutidos no muro da cidade. Sempre que Jim e eu visitávamos uma cidade grande, víamos evidências dos espessos muros de pedra que a protegeram em tempos passados e várias entradas com cômodos espaçosos. Alguns desses compartimentos eram reservados aos guardas, possuíam poço, um lugar para acender o fogo e escada interna que conduzia ao topo do muro. Outros cômodos serviam de escritório para os funcionários do governo.

E o que acontecia exatamente nos portões quando os cidadãos os atravessavam ao entrarem e saírem todos os dias? No ambiente frio e protegido daqueles cômodos de pedra, eram tomadas decisões legais e governamentais. Deliberações eram determinadas. Questões políticas eram resolvidas. Proclamações oficiais e editos eram lidos. Assuntos sobre o bem-estar do povo eram discutidos. Julgamentos eram administrados. Questões legais eram decididas.

Esse é o lugar onde o marido da mulher de Provérbios 31 é "estimado entre os juízes" (v. 23). Por ser um homem respeitável, ele "se assenta com os anciãos da terra". Evidentemente, ele dá uma contribuição notável à vida pública. Reconhecido como líder, ele ocupa posição de influência na vida da comunidade. Talvez até tenha um lugar reservado no portão, o que significa que ele é um homem importante e conselheiro competente. Talvez seja um dos anciãos e faça parte do corpo jurídico que governa a localidade. Esse grupo de prestígio reúne-se diariamente no portão da cidade para transacionar qualquer negócio público ou julgar casos trazidos perante eles.[2] Seja qual for a situação, vemos que esse homem é muito conhecido, porque se senta com o conselho e com outros líderes da cidade, de grande respeitabilidade, que dirigem os assuntos legais.[3] Por ser um cidadão honrado, ele é estimado pelo povo da cidade e pelas autoridades de sua comunidade, sendo, portanto, um homem de influência.

Por trás de cada homem competente

Você se lembra da cena na qual foram ministrados os ensinamentos de Provérbios 31.10-31? Um jovem príncipe – um líder em formação, um rei a ser entronizado, um aprendiz de legislador, um futuro homem de influência – está aprendendo o *abc* da vida (Provérbios 31.1). Sua sábia mãe, uma mulher bela aos olhos de

Deus, é casada com um líder, um rei, um legislador, um homem de influência. Portanto, essa mestra fervorosa e dedicada está descrevendo a seu jovem filho o tipo de esposa de que um homem de influência necessita. Até agora, vimos que essa mulher deve ser a esposa ideal para um rei, ter pulso firme e ser tão eficiente quanto ele na posição que ocupará para conquistar o respeito e a estima da comunidade. Evidentemente, a mãe desse jovem sabia que, por trás de cada homem competente, existe uma mulher competente! (Conforme um "provérbio" mais moderno diz: "Por trás de um grande homem existe sempre uma grande mulher!")

Quando penso no marido e na esposa descritos em Provérbios 31, logo me vem à mente a imagem de um par de apoio para livros. Ambos são pilares na comunidade, ambos são estimados entre os juízes (vv. 23 e 31) e ambos estão empenhados em fazer o bem a outras pessoas (vv. 20 e 23). Embora suas áreas de influência sejam diferentes, ambos exibem o mesmo caráter virtuoso e têm o mesmo propósito, ou seja, servir aos outros. O sábio Salomão fez a seguinte observação: "Melhor é serem dois do que um" (Eclesiastes 4.9). Para provar isso, reflita sobre estas comparações:

- Ele contribui para a comunidade; ela é sua auxiliadora (Gênesis 2.18).
- Ele é bem-sucedido na administração da cidade; ela é bem-sucedida na administração da família e do lar.
- Ele é feliz no trabalho; ela é feliz no serviço que faz em casa.
- Ele é respeitado, e todos o têm em alta estima; ela preserva e enobrece a honra dele por meio de sua conduta e exemplo.
- Ele é considerado um cidadão sério e influente; ela o ajuda a manter essa credibilidade.
- Ele é um conselheiro, um homem de bom senso e discernimento; ela fala com sabedoria e carinho.

- Ele exerce influência na vida da comunidade nos portões da cidade; ela influencia a comunidade com seu trabalho doméstico.
- Ele é conhecido por seu caráter firme e importantes contribuições; ela também.
- Ele conquistou certa riqueza e posição social; ela o ajuda a melhorar sua situação financeira e seu *status* por meio do que representa para ele e do que faz para ele como esposa.
- Ele alcançou seu objetivo profissional; ela o ajudou por ser diligente e parcimoniosa.
- Ele conquistou prestígio; ela é respeitada pelo trabalho criativo que faz com as mãos.
- Ele é um homem virtuoso; ela é uma mulher virtuosa.
- Ele é coroado com honra; ela é sua coroa (Provérbios 12.4).

Mulher influente

Oh, minha querida amiga, é muito importante que você e eu compreendamos a inestimável contribuição que podemos fazer aos nossos maridos, enquanto eles lutam para ter sucesso na carreira e servem ao Senhor no trabalho. Antes de tudo, saiba que esse homem de influência reflete a bondade de sua esposa. Ele trabalha fora. Sai de casa todos os dias, seguindo o plano de Deus para sua vida e trabalhando em prol da comunidade, e às vezes do mundo!

Por trás dele, contudo, existe essa mulher bela, maravilhosa. Um dos motivos para ele ser bem-sucedido em sua posição de influência é não ter preocupações em casa! Um lar honrado e próspero reforça sua reputação. Por meio do caráter de sua *esposa* e da habilidade que *ela* possui para administrar a casa, *ele* é capaz de manter uma posição de influência. Ela *o* capacita a sentar-se com os anciãos da terra. O lar bem organizado que *ela* dirige é um reflexo positivo para o marido e para sua ascensão à riqueza e poder social. Além do mais, a diligência e parcimônia *dela* no lar possibilita que *ele* tenha sonhos e os transforme em realidade! A influência que a bela mulher de Deus exerceu sobre o marido o ajudou a tornar-se um homem de influência na comunidade.

Agora quero perguntar se você considera o trabalho de seu marido "lá fora" como uma contribuição sua para as pessoas a quem ele serve. Afinal, *você* é quem o completa e o envia para ser uma bênção aos outros. Ele é uma contribuição *sua* para a sociedade, para a empresa na qual trabalha, para os funcionários do escritório, para os clientes, para os alunos, para o rebanho – dependendo da atividade que ele exerce.

E ele é uma contribuição sua, quer você trabalhe fora, quer passe o tempo todo em casa. Você o apóia em qualquer circunstância. Esse apoio tem a ver com seu coração e seu lar. A questão é como você cuida dele, do lar dele e dos filhos dele; a questão é como você contribui para o bem-estar dele.

Como ser bela

Como você e eu daremos essa valiosa contribuição? Como apoiar nossos maridos e embelezar a vida deles? Aqui estão algumas idéias:

1. *Elogie seu marido* – Todo ser humano gosta de receber elogios sinceros, e seu marido não é diferente. Portanto, conforme Provérbios 3.27 diz: "Não te furtes a fazer o bem a quem de direito, estando na tua mão o poder de fazê-lo." Está em suas mãos – e no coração e na boca! – o poder de elogiar seu marido, portanto faça isso hoje e todos os dias de sua vida (Provérbios 31.12). Alguém disse o seguinte: "Ele não poderá ler isso na sepultura quando estiver lá!"

2. *Incentive seu marido* – Todo ser humano – inclusive seu prezado marido – também necessita de incentivo. A crítica pode

ajudar, mas o incentivo ajuda mais ainda, conforme concluiu um marido anônimo. Maravilhado a respeito da esposa, ele escreveu: "Você consegue enxergar um traço de personalidade oculto que luta por evidenciar-se, incentiva-o e torna-o sensacional!" Provérbios 12.25 diz: "A ansiedade no coração do homem o abate, mas a boa palavra o alegra." Uma boa palavra vinda de você dá coragem a seu marido para enfrentar os desafios da vida. Abra essa bela boca e profira palavras de sabedoria e de bondade. Permita que o amor e o incentivo fluam (Provérbios 31.26)!

3. Cuide de seu casamento – A verdade não é muito romântica, mas, caso você ainda não tenha percebido, casamento é trabalho! Martinho Lutero observou: "O casamento não é uma brincadeira. Deve ser trabalhado e acompanhado de oração."[4] Como esposa, você é exortada a orar por seu marido e a respeitá-lo (Efésios 5.33). A tradução ampliada da Bíblia explica dessa maneira: "A esposa deve respeitar e reverenciar o marido – deve dar-lhe atenção, acatar suas decisões, honrá-lo, enaltecê-lo, venerá-lo e estimá-lo; e deve ser-lhe submissa, elogiá-lo, amá-lo e admirá-lo extraordinariamente."[5] Essa é uma ordem de suma importância, uma ordem para a vida toda! Se você obedecer a essa exortação de Deus, será uma bela esposa, que tem um casamento lindo.

4. Cuide de sua família – O marido da mulher de Provérbios 31 é um homem influente no trabalho e na comunidade, porque sua esposa é uma mulher influente no lar. E há outra exortação de Deus referente a seus padrões de beleza: você deve cuidar da família e levar a sério as refeições, os horários, as roupas, os conselhos e as instruções que dá às crianças. Quando você dirige o lar de maneira tranqüila e competente, contribui para a boa reputação de seu marido e para o trabalho dele na igreja (veja 1 Timóteo 3.4-5). Nada dignifica tanto um homem quanto uma esposa bela aos olhos de Deus e uma família que se comporta belamente.

5. *Cuide de seu lar* – Verifique se tudo está bem em casa. Recorra à maravilhosa graça de Deus para ajudá-la a cuidar dos trabalhos domésticos rotineiros e dos desafios inesperados da vida. Peça ao Senhor que a ajude a gostar de atender ao bom andamento de sua casa (v. 27).

6. *Cuide de suas finanças* – Sua sábia administração do dinheiro é uma bênção para seu marido, porque dá a ele um pouco de liberdade financeira para dedicar seu talento e seu coração a um trabalho que ele realize por prazer, não por necessidade. Quando você cuida de sua família no dia-a-dia e reduz as despesas para aumentar a poupança e o ganho, está seguindo os passos da bela e sábia mulher de Deus.

7. *Dê liberdade a ele* – Quando Jim começou a colaborar com o pastor de nossa igreja, lutei para acostumar-me com suas ausências. Ele trabalhava até tarde e durante os sete dias da semana. As palavras abaixo, que partiram da oração de uma esposa piedosa, ensinaram-me como apoiar e servir Jim; elas me ajudaram a dar liberdade a ele.

> Deus... declaro mais uma vez que meu marido pertence a ti, não a mim. Tenho-me submetido em tudo a ele – a seus horários, sua compreensão, sua atenção, seu amor. Recebo o que tu me dás em troca como privilégios para serem usados em prol de minha satisfação e para tua glória, enquanto achares que merecemos tais privilégios.
>
> Eu me proponho a rejeitar [não permitir] a intromissão de quaisquer pensamentos de autopiedade, crítica, ciúme ou ressentimento quando esses preciosos privilégios forem negados – quando o tempo de meu marido for tomado por outras pessoas... quando ele tiver, aparentemente, falhado no que diz respeito a consideração e amor.

Senhor... ajuda meu marido a ter a vida que tu escolheste para ele, independentemente das desvantagens pessoais que eu possa sofrer.[6]

Essas palavras expressam uma atitude significativamente mais bonita do que choramingar, reclamar, resmungar e impedir que seu marido tenha tempo para fazer o que necessita.

8. Apóie os sonhos dele – A esposa de um pastor a quem muito admiro ajudou-me muito quando Jim entrou no seminário, a fim de preparar-se para ser pastor. Quando lhe perguntei qual era seu conselho Número Um para a esposa de um seminarista, ela respondeu-me com uma carta de quatro páginas. Seu sábio conselho incluía o seguinte: "Sonhe ao lado de seu marido quanto aos resultados de seu ministério. Divida as expectativas e as alegrias com ele. Posteriormente, os objetivos que você estabeleceu surgirão do 'sonho'. Esse 'sonho' a ajudará a atravessar os tempos difíceis e cansativos para que você permaneça fiel ao Senhor, sempre buscando o melhor que Ele tem a oferecer. O 'sonho' manterá seus pensamentos concentrados em nosso grandioso Deus, e não nas situações do dia-a-dia."

São palavras que expressam um coração que deve ser verdadeiramente lindo aos olhos de Deus. Portanto, seja qual for a profissão de seu marido, o local em que ele trabalha e sua área de influência, dedique-se de corpo e alma, apoiando-o em vez de desprezar, depreciar ou ridicularizar os sonhos dele.

9. Entenda que seu comportamento reflete nele – O marido da mulher de Provérbios 31 "é estimado entre os juízes" (v. 23) por ter, entre outras coisas, uma mulher digna! Essa é uma das razões pelas quais seu marido é conhecido e respeitado?

Um convite à beleza

Você não acha que Provérbios 31.23 é um versículo lindo e poderoso da Bíblia? Se você for casada, espero que compreenda que você e seu marido não são dois indivíduos diferentes, buscando duas causas diferentes, em duas direções diferentes. Não, vocês são semelhantes a um par de apoio para livros. Vocês permanecem juntos como uma unidade, enfrentando e administrando juntos todos os problemas e desafios, todos os acontecimentos e preocupações, todas as oportunidades e sonhos que fazem parte da vida a dois. Alegre-se por igualar-se a ele em influência e contribuição, apesar de lutarem em arenas separadas. Alegre-se quando seu marido for o centro das atenções, quando ele se sobressair, quando for reconhecido e honrado. Alegre-se pelo privilégio de seguir os passos de Jesus e dar sua vida por seu marido em amor sacrifical, fazendo o supremo sacrifício de seu ego por ele.

À medida que você enfrenta esse desafio, eu a convido a orar pedindo a Deus que a ajude a apoiar seu marido de maneira que ele se sinta fortalecido e glorifique a Deus. Siga o que diz Provérbios 31.12 e assuma o compromisso de fazer bem a seu marido todos os dias de sua vida, elogiando-o, incentivando-o, alimentando seu casamento, servindo a sua família, cuidando do lar e das finanças, apoiando os sonhos dele e orando por seu sucesso – para que ele possa ser um homem de influência piedosa no trabalho e na comunidade onde vocês vivem.

17
Uma Profissional Criativa

Seu Empenho

"Ela faz roupas de linho fino, e vende-as,
e dá cintas aos mercadores."
Provérbios 31.24

Gosto muito de ouvir histórias de sucesso de artistas e empreendedores. (A bem da verdade, tenho pastas repletas dessas histórias notáveis!) Sempre que ouço falar de uma mulher que nossa sociedade rotula como "bem-sucedida", eu me pergunto: "Como ela conseguiu? Que decisões tomou? De onde vieram sua experiência e talento?" Surpreendentemente, à medida que essas histórias vão sendo reveladas, dois elementos básicos para o sucesso se destacam: Ela transformou *uma atividade pessoal* em *uma atividade profissional*.

Enquanto escrevo este capítulo, o nome *Martha Stewart* tornou-se marca registrada nos Estados Unidos na área de assuntos domésticos. Como você deve saber, Martha Stewart dedica-se a ensinar a mulheres como você e eu as técnicas de administração da casa, decoração, preparo dos alimentos, trabalhos manuais, confecção de presentes e jardinagem. Seu objetivo? "Estou tentando devolver às mulheres a sensação de se sentirem satisfeitas e realizadas em casa."[1] Até o presente momento, Martha Stewart tem mais de 20 livros publicados e dirige vários empreendimentos: uma empresa de encomendas postais chamada "Martha-by-Mail", uma revista mensal, vídeos contendo instruções, programas especiais de TV em rede nacional e seu mais recente programa diário na TV intitulado "Martha Stewart Living".

As organizações Martha Stewart Inc. (uma atividade profissional) começaram em casa, onde Martha Stewart aprendeu como cuidar das questões diárias da vida (uma atividade pessoal). O *Los Angeles Times* publicou o seguinte: "Sempre diligente, ela devorava livros de culinária e lançou-se no ramo de fornecedora de alimentos. Transformou em ouro o que aprendeu... com seu primeiro livro *Entertaining* [Entretenimento]."[2] Sua dedicação às mulheres é imensurável, quando ela oferece "um toque de graça e de criatividade em um mundo repleto de mercadorias feitas a toque de caixa e de má qualidade". Sobre seus objetivos, ela diz: "Estou apenas tentando tornar a vida das pessoas um pouco mais agradável para elas."[3]

Bem, talvez você e eu nunca venhamos a ser uma Martha Stewart, mas podemos trabalhar de coração a fim de tornar nossa casa bonita para aqueles que atravessam suas portas. Assim como a bela mulher de Deus de Provérbios 31, podemos trabalhar em prol da beleza. Nosso lar proporciona o ambiente perfeito para a criatividade. Você e eu podemos dirigir nossos empreendimentos criativos ali mesmo, dedicando total atenção aos afazeres diários (atividade pessoal). Tendo a alegria do Senhor como nossa força (Neemias 8.10), seremos capazes de transformar nossos trabalhos diários em verdadeiras obras de arte.

O nascimento de uma empresa

Da mesma forma que os desenhos da madeira repetem-se após vários cortes, o trabalho de tecelagem também se repete na alma da mulher de Provérbios 31. A tecelagem faz parte dela! Veja o número de vezes que a mãe do jovem príncipe menciona a bela mulher de Deus trabalhando nesse ofício: ela busca lã e linho para fazer tecidos (v. 13); trabalha até altas horas da noite no fuso e na roca, sob a luz de uma lâmpada (vv. 18-19); oferece as roupas de lã que faz ao necessitado (v. 20); e enfeita sua família, seu lar e a si mesma com os trabalhos que fez à mão (vv. 21-22).

Agora, a mãe do jovem rei Lemuel ressalta mais uma vez a dignidade e a beleza da mulher de Provérbios 31 em seu trabalho como tecelã: "Ela faz roupas de linho fino, e vende-as, e dá cintas aos mercadores" (v. 24).

Enquanto analisamos esse poema de louvor, você e eu observamos essa mulher, que é bela aos olhos de Deus, expandir sua área de influência e trabalho. Agora percebemos que seus esforços saíram porta afora e ultrapassaram os limites de seu lar e de sua comunidade. Ela criou uma indústria bem organizada, cuja mercadoria chegava aos mercados do mundo daquela época. Seu trabalho manual – iniciado em casa para vestir com amor aqueles que lhe eram caros – transformou-se em um negócio lucrativo. O lindo trabalho de suas mãos era levado pelos navios mercantes e por caravanas de camelos até os confins da terra. Caso você tenha se preocupado por ela não ser uma "mulher de carreira", agora pode ver que ela foi sim – sempre! A venda de sua mercadoria para mercados estrangeiros fala por si da qualidade de seu trabalho, explica sua prosperidade e prova que ela era uma profissional criativa.[4] Uma atividade pessoal transformou-se em atividade profissional!

A expressão da criatividade

Evidentemente, no caso desta bela mulher, a criatividade que Deus lhe deu acompanhada do desejo de melhorar as finanças da família resultou em uma profissão. Uma atividade pessoal (sua habilidade e sonhos para a família) transformou-se em uma atividade profissional (sua indústria doméstica).

Tudo começou com uma forma de expressar criatividade: "Ela faz roupas de linho fino" (Provérbios 31.24). Primeiro ela fez o tecido de linho e depois confeccionou roupas com ele. O linho fino trabalhado por ela é macio e apropriado para roupas de cama, roupas de baixo ou túnicas leves, semelhantes a camisolas, para serem usadas no verão diretamente sobre o corpo. As roupas de linho eram leves e finas – e, portanto, caras!

O trabalho manual desta bela mulher também inclui cintas. Vimos que ela "dá cintas aos mercadores" (v. 24). Semelhante a uma faixa, a cinta era usada para prender as roupas esvoaçantes (em moda até hoje em Israel) e facilitar os movimentos. As cintas de couro eram comuns, mas uma cinta ou faixa de linho era muito mais atraente e mais cara por ser enfeitada com fios de ouro e prata e pedras preciosas. Eram as obras de arte que ela "dá... aos mercadores".

O enriquecimento da propriedade

Para a mulher de Provérbios 31, um empreendimento nasceu quando uma atividade pessoal para ela tornou-se uma atividade profissional. Esse empreendimento originou-se de sua criatividade pessoal *e* de seu desejo pessoal de enriquecer sua propriedade. Portanto, ela "faz roupas de linho fino, e *vende-as*" (v. 24, grifo meu). A bela mulher de Deus negociava suas mercadorias, produzindo-as com o fim específico de fazer uma transação comercial. Disposta a melhorar a situação financeira da família e sabendo que seu ganho era bom (v. 18), ela levava suas mercadorias para serem vendidas no mercado local.

As cintas que ela fornecia aos mercadores estrangeiros proporcionavam-lhe uma segunda fonte de renda. Os comerciantes cananeus e fenícios chegavam em caravanas e navios para escolher o que havia de melhor, as peças mais delicadas, as mercadorias mais extraordinárias para serem levadas a lugares distantes – e as cintas que a mulher de Provérbios 31 fazia possuíam essas qualidades. Por ser uma mulher empreendedora, ela negocia, faz trocas, barganhas e vende as cintas e o linho fino (v. 24).

Uma história pessoal

Para mim, esse versículo tem sido um desafio especial. A idéia de uma "atividade pessoal" transformar-se em uma "atividade profissional" tem despertado meus pensamentos e posto minha energia em ação há muito tempo. Assim como aconteceu com a bela mulher de Deus, minha "atividade" nasceu de algo que eu fazia todos os dias sem me dar conta. Ora, minha "atividade pessoal" era estudar a Bíblia. Quando me tornei cristã aos 28 anos, casada havia oito anos e mãe de duas meninas em idade pré-escolar, eu me apaixonei por minha Bíblia. Por meio dela, Deus me forneceu respostas a muitas perguntas e orientação para minha vida confusa. Todas as vezes que eu me sentia em dúvida sobre alguma coisa (como disciplinar minhas filhas, como ser uma esposa melhor, como dirigir meu lar, como administrar meu tempo), a Palavra de Deus sempre tinha a resposta. Portanto, tomei a decisão de passar um pouco de tempo por dia estudando a Bíblia.

Bem, esse "um pouco de tempo por dia" tem-se somado durante décadas. Nos momentos tranqüilos de nossa casa (geralmente *antes* do alvorecer ou à noite depois que Katherine e Courtney estavam dormindo), eu estudava, lia, memorizava, grifava e desdobrava a Palavra de Deus em parágrafos, tópicos e passagens. Um dia, quando fui convidada a dirigir um estudo bíblico, eu me dei conta de que já tinha esboços de cerca de dez compêndios de estudos bíblicos para escolher, todos nascidos de minhas horas de meditação. Quando comecei a lecionar, utilizando materiais feitos à mão nas primeiras horas do dia, as mulheres das outras igrejas quiseram usá-los para seus estudos, e assim nasceu a organização Ministérios de Desenvolvimento Cristão. Em breve, os compêndios passaram a ser acompanhados de fitas cassete, e agora muitos desses estudos transformaram-se em livros como este, graças à Harvest House Publishers[5] [e à Editora United Press].

Alguns capítulos atrás, eu a incentivei a idealizar um Projeto Provérbios 31 – algo que você saiba fazer bem e que goste de desempenhar para ajudar um pouco no orçamento da família. Desenvolver estudos bíblicos e escrever livros transformaram-se em meu Projeto Provérbios 31. Quero convidá-la a idealizar um projeto seu. Leia novamente o capítulo 11 para descobrir ali exemplos de mulheres da vida real que encontraram uma "atividade". E não se esqueça de duas orientações de Deus contidas em Provérbios 31:

- *A família em primeiro lugar.* Tome cuidado para não negligenciar sua família quando começar a buscar seus interesses. Com a ajuda de Deus e uma boa administração do tempo, você poderá cuidar da família e trabalhar em seu Projeto Provérbios 31. Todos recebem carinho e se beneficiam quando uma "atividade pessoal" (trabalho diligente e espontâneo, atenção às finanças da família e sábia administração do lar) conduz naturalmente – e com a bênção de Deus – a "uma atividade profissional".
- *Reserve tempo.* Conforme eu disse, um pouco de tempo por dia soma-se, ao longo da vida, em décadas. Trabalhar um pouco por dia para levar adiante uma "atividade pessoal"

transforma-se, gradativamente, em algo muito especial, do qual pode nascer uma "atividade profissional"! Uma das minhas citações prediletas promete que "15 minutos por dia dedicados a um estudo definido farão de alguém um mestre em 12 anos".[6]

Como ser bela

Assim que identificar o que gosta de fazer – sua "atividade pessoal", a área na qual você se sobressai e consegue expressar-se –, sentirá o desejo de alcançar um nível mais alto de criatividade. Aqui estão algumas sugestões para estimular a criatividade que tento pôr em prática todos os dias:

1. Vigilância – Para estimular sua criatividade e sentir-se empolgada com seu projeto, adquira o hábito de observar como as outras pessoas se expressam. Mantenha-se informada a respeito do que ocorre em seu campo de trabalho. Procure estar sempre atenta à sua "atividade". Acompanhe os trabalhos criativos realizados por outras pessoas. Por exemplo, minha amiga Judy é uma artista que se sente motivada e estimulada pelo fato de visitar o Museu de Arte do Condado de Los Angeles na primeira terça-feira de cada mês (seu dia de "folga"). Outra amiga é uma decoradora de interiores que passa parte do tempo visitando casas luxuosas aqui no sul da Califórnia. Há ainda outra amiga *designer* que tem sempre em mãos a última edição da revista *Architectural Digest*. Outra amiga artista reserva um pouco de tempo por semana para analisar e estudar a última edição da revista *Victoria*. Se você permanecer vigilante e atenta às expressões de criatividade ao seu redor, terá melhores condições de desenvolver as suas.

2. Planejamento – Evidentemente, você vai querer reservar tempo para planejar seus projetos e desenvolver suas habilidades. Quero também incentivá-la a usar cada minuto livre para planejar e criar idéias. Por exemplo, quando Jim vendeu meu carro recentemente, chegamos à conclusão de que, durante os quatro anos em que rodei com ele, nunca utilizei o recurso de sintonização automática no rádio do carro, porque dedicava meu tempo no trânsito para pensar. Costumo carregar comigo um pequeno gravador onde registro todos os meus pensamentos e planos e qualquer lembrete que eu tenha necessidade de fazer a mim mesma. Na próxima vez que você estiver debaixo do chuveiro ou sozinha no carro, use esse tempo para planejar em vez de divagar ou de ouvir rádio. Enquanto estiver na sala de espera do médico, planeje! Enquanto estiver na fila do caixa do supermercado, planeje! Mantenha sua mente concentrada naquilo que você sabe fazer melhor.

3. Iniciativa – É preciso iniciativa para matricular-se em um curso que a ajude a desenvolver suas habilidades. É preciso iniciativa para ir a uma banca de jornais especializada e comprar uma revista que aborde sua área de criatividade. É preciso iniciativa para assinar um periódico, uma revista, um jornal ou ver um programa educativo de TV que a ajude a aprimorar sua criatividade. É preciso iniciativa para transformar seus sonhos em realidade e comprar uma bancada de trabalho, uma máquina de costura ou um cavalete para pintura. É preciso iniciativa para descobrir para onde você deverá enviar uma amostra de seus cartões de felicitações, de seu manuscrito, de seu livro ou de seu artigo para uma revista. É preciso iniciativa para passar um fim de semana assistindo a uma conferência que aborde sua área de interesse ou de sua especialidade.

E a iniciativa – esse passo decisivo para ter um estilo de vida mais criativo – é difícil para muitas mulheres. Por ser uma mulher bela aos olhos de Deus, você necessita saber não só o que deseja fazer para beneficiar sua família, mas também agir de acordo com esse desejo. Todas as manhãs, anote uma coisa que você possa fazer naquele dia para transformar sua "atividade pessoal" em "atividade profissional". Esse passo decisivo pode restringir-se apenas a uma ligação telefônica ou à compra de um aparelho ou instrumento. Ou talvez passar 15 minutos fazendo o que você mais gosta. Tenha sempre em mente que 15 minutos por dia farão de você uma mestra em 12 anos!

4. Trabalho árduo – O trabalho árduo é essencial para o sucesso em qualquer empreendimento, e é isso exatamente o que a bela mulher de Deus faz: "[...] de bom grado trabalha com as mãos" (Provérbios 31.13). Além de dirigir o lar e de preparar as refeições na hora certa, essa querida mulher trabalha como tecelã (vv. 13, 19, 21, 24), aperfeiçoando-se até tornar-se uma profissional nessa arte (vv. 18,24). Por meio do Projeto Provérbios 31, ela provê roupas e uma renda extra para a família. Ela trabalhou arduamente para levar sua empresa adiante, e continua a trabalhar da mesma maneira.

Talvez este seja o ponto ideal para eu lhe contar outro motivo que torna Provérbios 31.24 um versículo muito interessante para mim. Antes de tudo, quero lhe dizer que reconheço que talvez você esteja se sentindo exausta diante da produtividade da mulher de Provérbios 31. Afinal, ela tem marido, filhos e servas para cuidar, além da comida, da comercialização de seus produtos, de sua propriedade, das roupas da família e até mesmo dos pobres da comunidade – e veja que nós ainda não chegamos aos cuidados que ela dispensa à casa (v. 27)! A lista parece não ter fim!

Mas, para mim, a coroa de sucesso dessa mulher bela e piedosa é sua pequena empresa. Por ter dedicado tempo ao lar para obedecer ao sublime chamado de Deus para ser uma boa esposa, boa mãe e boa dona-de-casa, ela aperfeiçoou suas habilidades como tecelã e suas habilidades para administrar o tempo... até produzir excelentes trabalhos criativos. Depois, ao se dar conta de que sua mercadoria era boa, ela trabalhou arduamente para terminar os afazeres domésticos com mais rapidez a fim de concretizar seus sonhos e ter mais tempo para ser criativa. Seu trabalho árduo lhe proporcionou tempo de sobra de que ela necessitava para aperfeiçoar seu talento, dedicar-se à sua propriedade e dirigir uma empresa doméstica. Ela é verdadeiramente digna de ser louvada (v. 31)!

Um convite à beleza

Eu espero e peço a Deus que você se sinta incentivada pela diligência dessa magnífica mulher bela aos olhos de Deus! Nossa sociedade concentra-se demais em auto-realização, auto-imagem e auto-estima. Mas a boa notícia de Provérbios 31 é que *Deus* provê tudo o que você necessita nessas áreas. Afinal, não existe realização maior do que saber que você cuida com amor de sua família e de seu lar. Quando você (e eu) cuida de sua "atividade pessoal" em primeiro lugar – isto é, das pessoas da casa – e cuida bem, Deus a faz crescer como pessoa e a induz a ter uma "atividade profissional", uma atividade criativa na qual você possa expressar os dons e talentos criativos que Ele lhe deu. Se você não tem idéia de onde começar a procurar uma "atividade profissional", peça agora a Deus que lhe revele o que Ele tem reservado para você. Aceite apenas um palpite meu. Sua indústria doméstica provavelmente vai surgir de alguma coisa que você já está fazendo... ou sonhando em fazer!

18

Um Guarda-Roupa de Virtudes

Suas Vestimentas

"A força e a dignidade são os seus vestidos, e, quanto ao dia de amanhã, não tem preocupações."[1]
Provérbios 31.25

Eu não a conheço tão bem quanto gostaria, mas sei algumas coisas a seu respeito. Tenho certeza de que você é uma mulher que deseja ter a beleza de Deus em sua vida ou, então, não estaria lendo um livro intitulado *Bela aos Olhos de Deus!* Que bênção!

Tenho certeza também de que conheço alguns detalhes de sua vida diária. Você acorda (e, juntas, estamos tentando sair da cama um pouco mais cedo!), faz coro (assim espero) com o salmista, dizendo: "Este é o dia que o Senhor fez; regozijemo-nos e alegremo-nos nele" (Salmo 118.24) e, um pouco mais tarde, vai se vestir. (Como estou indo até agora?) Você abre o armário e dá uma olhada. Pensando nos eventos programados para o novo dia, você escolhe e veste as roupas apropriadas.

Bem, minha querida, é exatamente assim que a bela mulher de Deus saúda um novo dia de vida. Ela também se levanta cedo para louvar a Deus a quem tanto ama, pensa nas suas atividades e também escolhe as roupas apropriadas para usar. Ela não tem uma grande variedade para escolher (a túnica grossa de lã que o povo de sua época usava durante o dia servia de cobertor à noite), mas possui roupas adequadas e decentes.

A vestimenta do caráter

A mulher que é bela aos olhos de Deus enfeita-se diariamente com roupas que não fazem parte de seu armário. Provérbios 31.25 diz: "A *força* e a *dignidade* são os seus vestidos" (grifo meu). Esses dois preciosos ornamentos são as peças mais importantes da indumentária de nossa mulher virtuosa, porque são vestimentas de um caráter piedoso.

Vemos mais uma vez que a *força* é um atributo da bela mulher de Deus – e que a força se manifesta de formas variadas. A mulher de Provérbios 31, por exemplo, fortaleceu-se economicamente, portanto ela enfrenta a vida diária e a futura velhice com amplas reservas monetárias. E, por ter feito preparativos diligentes, ela está pronta para enfrentar mudanças climáticas (por exemplo, uma nevasca [v. 21]) com confiança. Sua grande confiança no Senhor (v. 30) lhe proporciona força para suportar tristezas e aflições. Apesar de ser considerada a "parte mais frágil" do casal (1 Pedro 3.7) por ser mulher, ela é forte em sabedoria (v. 26) e no conhecimento de Deus (v. 30). Além de desenvolver força física por meio do trabalho diário, ela adquiriu força na comunidade em que vive por causa de seu coração honrado, de suas virtudes e de sua conduta digna (v. 25). Como toque final para esse guarda-roupa de virtudes, sua mente poderosa lhe dá força interior e determinação. Sim, força para enfrentar a vida é a sua vestimenta.

A *dignidade* é outro ornamento que essa mulher bela aos olhos de Deus usa constantemente. A tradução literal desta palavra, em hebraico, é "esplendor".[2] Aparentemente, seu espírito nobre lhe proporciona uma coroa de majestade. Maravilhamo-nos diante de seu caráter virtuoso, de seu porte de rainha e de seu comportamento piedoso. Não existe nada comum, vulgar ou pequeno no guarda-roupa que abriga seu caráter. Sua grandeza de alma, combinada à sua graciosa conduta, deixa transparecer bondade a todos os que têm o privilégio de conhecê-la. Tudo nela apresenta um toque de beleza da dignidade.

Alegria infinita

Vestida com um rico guarda-roupa de virtudes, a bela mulher de Deus não tem preocupações quanto ao dia de amanhã (v. 25). Ela vive o momento presente com intensa alegria ou, segundo as palavras de outro tradutor, "ela *sorri* diante do futuro".[3] Quando olha para a frente – pensando no novo dia ou na morte – "ela ri do tempo que virá".[4] Conforme diz a autora Anne Ortlund, a habilidade dessa mulher de sorrir e rir diante do futuro "coloca as rugas de seu rosto nos lugares certos"![5] Depois de fazer todas as provisões possíveis a um ser humano e de saber que Deus cuidará do resto, a bela mulher de Deus enfrenta o futuro com alegria infinita. Consciente das questões transitórias da vida, ela confia as coisas eternas a Deus.

Conforme já observamos, a mulher de Provérbios 31 usa poucas jóias. Ela não usa adornos sem valor – as ansiedades, as preocupações, os temores – que desvalorizam a aparência de tantas mulheres. Ao contrário, sua beleza não é afetada por apreensões com as incertezas da vida. Quer esteja pensando no passado, quer no presente, quer no futuro, ela se sente satisfeita e cumpre sua missão. Leva adiante as atribuições que Deus lhe deu e demonstra suas virtudes um dia por vez, todos os dias de sua vida. Quando olha para trás, ela não tem arrependimentos. Quando olha para a frente, nada tem a temer. Vivendo no presente, ela conhece apenas o feliz desafio de obter a provisão de Deus e põe sua mente e corpo para trabalhar em mais um dia lindo e repleto de alegria!

Como ser bela

A vida, os livros, as conferências e os conselheiros ajudam-me a aprender qual é a "vontade de Deus" para minha vida. Escolhi Provérbios 31 para minha instrução! Adoro estudar essa passagem sobre a bela mulher de Deus, porque ela dá a mim – e a você – orientações concretas. Em cada dia de nossa vida, podemos saber exatamente qual é a vontade de Deus para nós por meio da leitura de Provérbios 31.10-31. Casadas ou solteiras, jovens ou idosas, trabalhando fora ou em casa, temos o dever de nos tornar belas aos olhos de Deus. As virtudes que o jovem príncipe deve procurar em uma esposa, conforme as instruções de sua mãe, são as mesmas que devemos nos esforçar para ter. Se tivermos êxito, seremos também vestidas com a força e a dignidade de Deus e capazes de sorrir diante do futuro.

Conforme você já deve saber, acredito piamente no valor dos objetivos. (Às vezes, chego às raias da loucura! Tenho objetivos a longo e a curto prazos: para a vida inteira, para dez anos, para cinco anos, anuais, semestrais, mensais, semanais e diários, e os objetivos diários geralmente são especificados por hora. Meu marcador de tempo está emitindo um *bip* neste exato momento – avisando sobre meu objetivo de 30 minutos!) Fica mais fácil estabelecer objetivos para a vida diária se eu dividir as complexidades da vida em sete categorias.[6] Enquanto aprendemos como nos vestir com as roupas da virtude, reflita sobre as sete áreas de uma vida piedosa. E lembre-se que o momento presente – hoje! – é o que conta. É o único dia que temos. Se você e eu vivermos um dia por vez, se estivermos atentas todos os dias de nossa vida e nos prepararmos para o sucesso servindo-nos do guarda-roupa de virtudes de Deus, estaremos revestidas por Ele com as virtudes que nos proporcionarão alegria durante a vida inteira.

1. Vida espiritual – Estamos falando sobre nosso armário de roupas, mas antes devemos refletir sobre seu recôndito de oração, aquele lugar onde você nutre seu amor pelo Senhor (Provérbios 31.30). É esse lugar que você deve visitar primeiro, todos os dias. Deus exortou sua cidade santa: "Desperta, desperta, reveste-te da tua fortaleza, ó Sião; veste-te das tuas roupagens formosas" (Isaías 52.1)! Ele nos exorta a fazer o mesmo, e a mais bela roupagem de seu guarda-roupa de virtudes é o amor a Deus. A mãe do jovem Lemuel enfatiza que "a mulher que teme ao Senhor, essa será louvada" (v. 30). *Ela* é a mulher verdadeiramente bela aos olhos de Deus!

Quando você emergir da sagrada comunhão de seu recôndito de oração, estará usando as roupas da retidão. Terá trocado seu espírito angustiado pela alegre vestimenta de louvor que Deus lhe oferece (Isaías 61.3). Também estará pronta para a batalha, revestida da armadura de Deus (Efésios 6.12-18). E ninguém deixará de notar a fragrância de Cristo e o aroma de vida nele (2 Coríntios 2.14-16) que flui de sua alma.

Que tal estabelecer o objetivo de buscar ao Senhor de manhãzinha (Salmo 63.1)? Se você ainda não o buscou hoje, pare, feche este livro e passe um pouco de tempo com a única Pessoa que pode deixá-la genuinamente bela – Deus! Você é capaz de sorrir diante do futuro quando recebe de Deus "a força para hoje e o brilho da esperança para amanhã"[7] todos os dias de sua vida.

2. Vida familiar – Sejam quais forem as circunstâncias, você tem uma família. Tem pais, irmãs, irmãos, avós, tias, tios, sobrinhas, sobrinhos ou primos para amar. Se for casada, tem marido, sogro, sogra, cunhada, cunhado e talvez filhos para amar, e você está dedicando sua vida a eles, assim como fez a bela mulher de Deus. Todos nós temos a família de Deus, o corpo de Cristo, a igreja.

Se você quiser colher as recompensas que a bela mulher de Deus colheu (vv. 28-29), ponha sua família em primeiro lugar – e deixe claro a eles qual é a posição que ocupam! Cuide de suas necessidades físicas quanto ao alimento (vv. 14-15) e quanto às roupas (v. 21). Reflita se está dirigindo um lar limpo e em ordem (v. 27). Esbanje amor – de maneira generosa, altruísta, criativa e alegre. Esse seu trabalho, seu carinho e seu amor se não forem notados, se você se sentir depreciada ou se nunca ouviu um "muito obrigado", tenha em mente a exortação de Colossenses 3.23: "Tudo quanto fizerdes, fazei-o de todo o coração, *como para o Senhor*, e não para homens" (grifo meu).

Esse belo e piedoso princípio, porém, nem sempre nos leva a receber elogios. Esta semana, uma amiga me ligou parecendo um pouco desanimada. Enquanto conversávamos, essa amiga contou que a irmã havia dito que ela era "dedicada demais" aos filhos adultos – sempre preparando lanches para eles e deixando comida no forno para os que chegavam tarde, como se eles fossem crianças. Eu gostaria que você tivesse ouvido o sermão que preguei com base em Provérbios 31! A bela mulher de Deus cuida dos filhos – não importa que idade tenham! Uma de suas roupas permanentes é o avental da mãe "dedicada demais": "Mas o fruto do Espírito é... benignidade [e] bondade" (Gálatas 5.22)!

3. *Vida financeira* – A bela mulher de Deus pode sorrir quando olha para o futuro, porque ela mantém vigilância sobre as finanças da casa. Ela estabeleceu objetivos e os alcançou. Que objetivos financeiros você tem para hoje, para esta semana, para este mês e para este ano?

Um dia, enquanto escrevia este livro, tive um vislumbre dos objetivos de minhas filhas quando recebi *e-mails* de ambas. Katherine estava pedindo todas as minhas receitas da época em que os tempos eram difíceis, e Courtney me contou que passara a fazer compras no supermercado apenas uma vez a cada duas semanas – o que a fazia ter de usar sua criatividade ao se obrigar a aguardar o fim da segunda semana! Com esses dois exemplos reais, práticos e simples, você também poderá economizar dinheiro.

Uma forma de economizar na compra de roupas é aguardar as promoções, dizer "não" e ir ao *shopping* apenas uma vez por semana. (Você se cansa rápido demais quando precisa fazer tudo em um só dia! Acredite em mim, vai querer voltar correndo para casa e nunca mais "sair" novamente!) Conforme eu mencionei antes, você também poderá economizar se ficar atenta aos vencimentos das contas (veja o Capítulo 4). Que tal abrir uma conta de poupança com crédito automático? Você também poderá pedir uma mesada a seu marido – e guardá-la!

Na próxima vez que estiver no carro ou debaixo do chuveiro, pense no que poderia fazer para ganhar um pouco de dinheiro. Tenho uma amiga que monta móveis para uma loja de artigos de escritório. Ela trabalha no chão da sala de TV depois que os filhos estão dormindo. Minha amiga Lori e sua filha Bethany ajudaram a organizar minha volumosa correspondência e compêndios como parte do Projeto Provérbios 31 delas. Outra mulher que conheço (uma senhora idosa) cola etiquetas em fitas cassetes, enquanto cuida de sua mãe que tem 100 anos! Se você controlar o dinheiro e tiver disposição para realizar o trabalho, poderá contribuir significativamente para o futuro – e o presente!

4. Vida física – (Oh, não! Nós sabíamos que, mais cedo ou mais tarde, esse tópico seria abordado!) Provérbios 31.25 fala da força da bela mulher de Deus. Embora a força seja um traje de seu guarda-roupa de virtudes, também faz parte de sua beleza física. Afinal, ela fortalece o corpo e os braços *para* o trabalho e *por causa* do trabalho (v. 17).

Eu gostaria que você estabelecesse alguns objetivos para sua força e saúde física a fim de poder seguir o exemplo dessa mulher. Você se sentiria melhor se emagrecesse um pouco – ou está precisando ficar mais robusta? Músculos fortes significam menos tensão nas costas, nos ombros e no pescoço. (Esse princípio é muito importante para mim! Uma de minhas caixas de livros pesa quase 15 quilos, e eu preciso erguê-la do chão sete dias por semana, transportá-la escada acima e escada abaixo e nos aeroportos!) Exercício significa menos preocupações com artrite, osteoporose e obstrução de artérias. A alimentação correta estimula o trabalho e melhora a saúde. Você se sentirá melhor hoje – e sorrirá no futuro – se cuidar desse aspecto fundamental da vida e encontrar tempo em sua agenda para exercitar-se.

5. Vida mental – A Bíblia nos exorta a amar a Deus "de todo o teu entendimento" (Lucas 10.27). (Eu sinto uma atração tão forte por este versículo que escrevi um livro sobre ele intitulado *Loving God with All Your Mind* [Como amar a Deus de todo o entendimento].[8]) Acredito que, como cristãs, teremos de prestar contas a Deus pelo uso (e mau uso) de nosso entendimento, ou seja, de nossa mente. Deus nos fez à sua imagem e com capacidade para pensar e aprender, analisar e criar (Gênesis 1.27; Tiago 3.9). Na verdade, temos a mente de Cristo (1 Coríntios 2.16)! Não é de admirar, pois, que a Bíblia instrua reiteradas vezes sobre o que fazer com a mente. (Até hoje, contei 31 exortações a respeito de maneiras corretas e erradas de o cristão usar a mente!)

Agora, um desafio pessoal: Como você usa sua mente? Se eu tivesse perguntado como você usa seus *minutos*, estaria fazendo a mesma pergunta, porque você usa a *mente* em cada minuto que está acordada. Aqui estão algumas idéias de como usar a mente de maneira construtiva:

- Por ser uma mulher que deseja tornar-se cada vez mais bela aos olhos de Deus, certifique-se, antes de tudo, de usar a mente para ler a Palavra de Deus, memorizá-la e meditar sobre ela.
- Você poderá refletir a respeito do que diz a Bíblia – o papel das mulheres na igreja, etc.

- Também poderá pensar, orar e planejar, conforme faz a mulher de Provérbios 31. (Essa é uma das razões que a capacitam a sorrir diante do futuro: ela pensa no futuro, ora e planeja!)
- Poderá ter como objetivo ler um bom livro cristão ou uma biografia todos os meses.
- Poderá ler um livro sobre administração do tempo ou do dinheiro.
- Há bons livros sobre casamento, como cuidar dos filhos e como cuidar do lar.

A "Querida Abby" [Abigail Van Buren, colunista que responde a perguntas de leitores em um jornal norte-americano] descreve seus pensamentos desta forma: "Hoje [...] vou aprimorar minha mente. Não terei preguiça de pensar. Vou me forçar a ler algo que exija esforço, pensamento e concentração."[9] Eu insisto que você se vista com a *força da mente* e use essa força para a glória de Deus e o cumprimento de seus propósitos.

6. Vida social – É evidente que precisamos separar uma grande quantidade de tempo para o Senhor e para a nossa família (esse é o objetivo da bela mulher de Deus e deste livro!), mas também necessitamos passar um pouco de tempo com bons amigos. Provérbios nos diz que, embora seja difícil ser "o melhor amigo" de muitas pessoas, é importante ter alguns. "O homem que tem muitos amigos sai perdendo; mas há amigo mais chegado do que um irmão" (Provérbios 18.24).

Qual de suas amigas é mais chegada do que uma irmã? Você reserva tempo para estar com essa pessoa especial? Quando estão juntas, vocês fazem questão de incentivar-se mutuamente em suas jornadas espirituais? Suas melhores amigas constam de sua lista de oração diária?

7. Vida profissional – Depois de ler o capítulo anterior, você compreende melhor o que eu quero dizer com a expressão "vida profissional", certo? Sua empresa, seu empenho, sua contribuição, sua aptidão, sua "atividade pessoal" podem transformar-se em uma "atividade profissional" e melhorar as finanças da família. Talvez você tenha um emprego, uma carreira, um diploma, uma credencial ou um passatempo que lhe renda algum dinheiro. Seja lá como for a sua vida profissional, mantenha suas habilidades afiadas e seus conhecimentos atualizados. Certifique-se de estar sempre tentando alcançar níveis mais altos de padrões de excelência. Continue a exercitar sua criatividade (esteja alerta, planeje e sonhe; tome iniciativa para desenvolver suas habilidades; trabalhe firme). Faça o que for necessário para permanecer motivada e empolgada, sempre tendo em vista seus talentos e aptidões. Se for da vontade de Deus, você continuará a fazer aquele trabalho especial por um bom tempo! É disso que trata este capítulo, de proteger seu futuro da melhor maneira possível do ponto de vista humano. Nossa missão é fazer tudo o que podemos. A missão de Deus é cuidar do resto!

Você já conheceu Edith Schaeffer neste livro, e mais uma vez ela serve de exemplo para nós. Por ser uma mulher vestida de força e de dignidade, ela é capaz de sorrir diante do futuro. Usando seu guarda-roupa de virtudes, servindo ao Senhor, amando sua família, cuidando da saúde física e alimentando a mente, ela – aos 87 anos – está escrevendo (datilografando!) seu 18º livro!

Ao pensar no futuro, o que você pede a Deus para estar fazendo quando chegar aos 87 anos? "Portanto, quer comais, quer bebais, ou façais outra coisa qualquer, fazei tudo para a glória de Deus" (1 Coríntios 10.31)!

Um convite à beleza

Para poder regozijar-se no futuro, é necessário vestir-se hoje com o traje da força e com o ornamento da dignidade. Aqui estão alguns pensamentos para hoje.

Hoje... entregue mais uma vez sua vida a Deus e caminhe com fé nesse dia lindo. Hoje... dedique de todo o coração seu amor e cuidado à sua família e seja "dedicada demais"! Hoje... pense em suas contribuições positivas para as finanças da família. Hoje... leve a sério sua "força" física e exercite-se. Hoje... elimine o mau uso de sua mente e utilize o poder mental que Deus lhe deu para ter um caráter mais belo ainda. Hoje... estenda a mão a sua melhor amiga e incentive-a em sua jornada espiritual. Hoje... dê um pequeno passo em direção a uma "atividade profissional". E hoje... assuma o compromisso de repetir esses padrões divinos de beleza quando acordar todas as manhãs. Assim, você também poderá apresentar-se completamente vestida com as roupas da virtude, olhar para o corredor do tempo em direção ao futuro desconhecido e regozijar-se!

19
Uma Instrução de Bondade

Suas Palavras

"Fala com sabedoria, e a instrução
da bondade está na sua língua."[1]
Provérbios 31.26

Como você está indo até agora em sua escalada rumo à excelência? Achei que deveríamos fazer uma pausa e ver como vai nossa caminhada. Estamos nos preparando para dar um passo gigantesco, e quero ter certeza de que você será capaz! No capítulo 1, você e eu decidimos fixar o pensamento no conceito de Deus sobre a beleza e dar os passos necessários, um de cada vez, para alcançar esse ideal. E estamos fazendo ótimos progressos!

Pense em tudo o que aprendemos e que, assim espero, começamos a pôr em prática. Descobrimos, por exemplo, que *é* possível levantar da cama um pouco mais cedo! Vimos como é gratificante dirigir nossa vida e lar dentro de uma programação! Preservar o casamento resulta em grande satisfação pessoal. A energia flui quando nos ocupamos de atividades construtivas. As finanças se estabelecem quando administramos bem, economizamos e ganhamos dinheiro. Nosso envolvimento em uma atividade nos abençoa – e abençoa outras pessoas. Cuidar das necessidades da família traz imensa alegria. E Deus está usando nossa obediência para incutir seu caráter piedoso em nós. É assim que Ele trabalha!

Mas agora, minha querida, ao abordar outra virtude da beleza – na verdade, uma coroa de glória! –, devemos mais uma vez pensar nas conseqüências de nossa jornada. Essa virtude talvez seja a que verdadeiramente distingue uma mulher de uma menininha dentro do exército de Deus. Eu a advirto de que é provavelmente a mais difícil de alcançar! Estou falando de controlar as palavras que saem de nossa boca.

Oh, fizemos uma longa caminhada e escalamos boa parte da montanha, mas não refrear a língua é uma pedra de tropeço na vida de muitas mulheres que desejam ser belas aos olhos de Deus. É muito difícil ter um modo de falar cheio de beleza. O desafio é constante. Um dos apóstolos escreveu: "Se alguém não tropeça no falar é perfeito varão, capaz de refrear também todo o seu corpo" (Tiago 3.2)!

Vou ser franca. Ser responsável pelo lar, dirigir a casa de maneira organizada, ser excelente cozinheira e dona-de-casa, apoiar o progresso do marido, contribuir generosamente com obras assistenciais e ter uma renda extra – tudo isso é fácil demais em comparação a abrir a boca com sabedoria e bondade. Por que digo isso? Porque as ações são exteriores, mas o discurso tem a ver com o coração: "a boca fala do que está cheio o coração" (Lucas 6.45). Para sermos verdadeiramente belas aos olhos de Deus, você e eu devemos estar determinadas a dar esse próximo passo, bonito, mas difícil, rumo a um discurso mais piedoso. Deus deseja que suas instruções de sabedoria e bondade governem nossa boca – e nosso coração.

Uma fonte de vida

Antes de refletir sobre as palavras que falamos, lembre-se de que o cenário de Provérbios 31 é a terra extremamente árida de Israel. O sofrimento era – e continua a ser – a regra mais importante do dia. A luta pela sobrevivência era – e continua a ser – uma preocupação constante. Um calor abrasador e uma seca terrível são dois fatos do dia-a-dia. Eu gostaria de saber descrever corretamente o cotidiano implacável daquele povo, que se preocupava em ter água suficiente naquela terra seca e árida. Quem tiver de escolher entre alimento e água, sempre escolherá água!

Para suavizar tal cenário, o escritor de Provérbios retrata esta imagem: "A boca do justo é manancial de vida" (Provérbios 10.11). O escritor sabe que a água é de suma importância para a sobrevivência e compara o discurso piedoso com a água que dá vida. Ele compara o efeito que o discurso piedoso exerce sobre nossas necessidades emocionais com o efeito que a água exerce sobre nossas necessidades físicas. Assim como encontrar uma fonte no deserto era o mesmo que encontrar vida, estar na presença de uma mulher que fala palavras de sabedoria e bondade é o mesmo que encontrar vida!

Sabedoria no falar

O discurso da bela mulher de Deus é verdadeiramente uma fonte de vida para aqueles que a rodeiam. A mãe de Lemuel prossegue: "Fala com sabedoria" (Provérbios 31.26). Observe um detalhe importante aqui. A frase sugere que ela não fala o tempo todo! Ela não é tagarela nem faladeira. Quando ela não tem nada sábio ou bondoso para falar, sua boca permanece fechada.

Quando ela abre a boca, "fala com *sabedoria*" (grifo meu). Ela é sábia no que diz e na maneira como diz. Uma antiga definição de sabedoria diz que ela é "o uso do conhecimento de maneira prática e bem-sucedida".[2] Faça uma análise profunda de Provérbios 31 e observe os tópicos práticos que a mãe do jovem príncipe Lemuel abrangeu. Ela própria abriu a boca para transmitir sabedoria – experiência prática de vida – a seu precioso filho.

Bondade no coração

À medida que Provérbios 31.26 prossegue, vemos que "a *instrução da bondade* está na sua língua" (grifo meu). Além de falar com sabedoria, a mulher que admiramos limita-se a falar de acordo com a instrução da bondade. Todas as palavras que ela profere estão no *espírito* e na *delicadeza* de um coração meigo e benevolente, revelando uma disposição bondosa e temor de ofender desnecessariamente.[3] Ela adquire sabedoria e, portanto, limita suas palavras. Suas palavras nunca são ofensivas nem destrutivas. Conforme uma tradução grega, "ela põe ordem em sua língua".[4]

Agora, pense por alguns instantes no cotidiano da bela mulher de Deus. Ela tem marido – a quem planeja incentivar e abençoar. Ela tem filhos – a quem deve ensinar, instruir e disciplinar. Servas que residem sob seu teto – a quem ela deve transmitir instruções para o dia. Mercadores e compradores – com quem ela deve lidar para fazer permutas, barganhas e compras – estão em sua rota comercial. Cada pessoa que a rodeia deve receber uma palavra sua, e a mulher de Provérbios 31 faz questão de que suas palavras sejam sábias e bondosas.

Aqui vai uma observação interessante (e desafiadora!): nos casamentos judaicos antigos, o teor da fala de uma mulher era importante, mas o *volume de sua voz* era mais importante ainda. Uma mulher podia ser rejeitada antes do casamento se falasse alto! Como o volume de voz era medido? Pelo que os vizinhos ouviam quando ela falava na própria casa.[5] Tome cuidado!

Ausência de maldade

O que serve para todas as linguagens artísticas naturalmente também serve para o discurso: aquilo que *não* está presente fala mais alto do que aquilo que está. Com base nesse princípio, reflita sobre o que está ausente nas palavras da bela mulher de Deus.

Antes de tudo, não há mexericos, calúnias nem indelicadezas em relação a outras pessoas. A pessoa bondosa jamais faria isso! Nem existem reclamações. Por temer ao Senhor, a bela mulher de Deus sabe disso, porque Ele mantém perfeito controle sobre as circunstâncias da vida. Ela nada tem a reclamar! Gracejos, zombaria e risadas – principalmente à custa dos outros – não fazem parte de suas características. Nossa bela dama prefere ser conhecida por sua sabedoria, não por ser divertida. E, quando abre a boca com sabedoria, ela não diz nada indiscreto ou pernicioso. Banalidades ou vulgaridades foram apagadas de seu discurso. Por ser uma administradora e empresária bem-sucedida, ela poderia ser tentada a falar com voz autoritária, mas a bondade governa sua retórica.

Um estudante da natureza humana observou com sabedoria: "As pessoas que não são bondosas falam coisas erradas. As pessoas bondosas, mas que não são sábias, falam demais." Sabedoria e bondade previnem esses dois erros.

Ouça o que disseram belas mulheres aos olhos de Deus

Ao folhear a Bíblia para encontrar mulheres sábias que observaram a lei da bondade, encontrei duas belas mulheres de Deus que servem de exemplo para nós nessa área difícil e delicada de refrear a língua.

Ana foi uma mulher que abriu *muito pouco* a boca e sob circunstâncias *muito difíceis*! Casada com um homem que tinha outra esposa, Ana não apenas sofreu por ser estéril, enquanto sua rival dava à luz um filho após outro, mas também teve de suportar as provocações cruéis e constantes daquela mulher (1 Samuel 1.1-7). Insultada e injuriada infinitas vezes, Ana preferiu não dizer nada em resposta.

Com uma grande agonia na alma, ela foi à casa do Senhor (ao lugar certo e à Pessoa certa) para orar sobre sua situação (a solução certa). A intensidade de sua oração fez com que o sumo sacerdote achasse que Ana havia bebido demais, e ele a repreendeu: "Até quando estarás tu embriagada? Aparta de ti esse vinho" (v. 14). Mas, minha querida, a nobre Ana respondeu com sabedoria e de acordo com a instrução da bondade, explicando meigamente seu sofrimento e apelando para a compreensão do sumo sacerdote. No final, ela recebeu sua bênção sacerdotal.

Abigail, cujo nome significa "fonte de alegria", foi uma mulher que exemplificou o provérbio "A boca do justo é manancial de vida" (Provérbios 10.11). Casada com Nabal, um homem ridículo e alcoólatra (seu nome significa "insensato"), Abigail usou palavras cuidadosamente escolhidas ao caminhar na corda bamba do perigo. Quando seu marido recusou a gentileza de Davi e maltratou seus homens (1 Samuel 25.10-11), ela tomou conhecimento, por intermédio de seus servos, do insulto de Nabal. Abigail interceptou Davi em sua missão de destruir tudo o que pertencia a Nabal, inclusive ela própria e seus servos. Agindo rapidamente – e com sabedoria e bondade –, Abigail foi ao encontro de Davi levando alimento suficiente para seus 600 homens.

Prostrada no solo diante do indignado Davi, Abigail suplicou-lhe perdão. Com seu raciocínio sensível e palavras sábias proferidas de acordo com a instrução da bondade, ela persuadiu Davi a não se vingar de seu marido. Ao retornar para casa e encontrar Nabal embriagado demais para ouvi-la, ela não disse nada até o dia seguinte sobre o perigo que ele corria. Abigail trabalhou com sabedoria para impedir que Davi e Nabal tomassem medidas drásticas. Ela passou para a História como uma mulher sábia, uma negociadora habilidosa e de palavras persuasivas.[6]

É muito bom saber que você e eu podemos seguir os passos dessas duas sábias e belas mulheres!

Como falar de maneira bela

Oh, minha querida amiga, como eu gostaria de ter espaço para lhe contar quantos anos eu tenho lutado para um discurso cheio de beleza! Descrevi em detalhes a minha batalha contra o mexerico em meu último livro, *Uma Mulher Segundo o Coração de Deus*.[7] Tenho aprendido como e quando falar sobre meu marido e minhas filhas (menos é sempre melhor!). Tropecei bastante na educação de minhas filhas desde os tempos do jardim de infância, do curso primário, da adolescência e até da fase adulta, quando elas ainda moravam em nossa casa. Só posso dizer que *Deus sabe* que tentei desesperadamente acertar – e continuo tentando, porque esse princípio do discurso sábio e bondoso faz parte do lindo plano de Deus e de seus preceitos para minha vida e meus lábios.

O livro de Provérbios, situado bem no meio da Bíblia, oferece sabedoria inestimável e eterna, inclusive várias regras de Deus para o discurso piedoso. Estou feliz por compartilhar algumas com você agora – aquelas que mais me ajudaram e que ainda me ajudam!

1. Estabeleça duas diretrizes – A bela mulher aos olhos de Deus estabelece duas diretrizes para seu discurso: a) falar apenas se for dizer palavras sábias; e b) falar apenas se for dizer palavras bondosas (Provérbios 31.26). Se você seguir essas duas diretrizes, terá sempre alguma coisa digna de ser dita (sábia) e a dirá da maneira correta (com bondade)! Talvez você saiba muitas coisas, mas, se falar sem bondade, suas palavras serão menos eficientes.

2. *Pense antes de falar* – "O coração do justo *medita* o que há de responder, mas a boca dos perversos transborda maldades" (Provérbios 15.28, grifo meu). Pare e pense sobre suas palavras antes de proferi-las. Tenha por objetivo escolher cuidadosamente palavras à altura dos padrões de Deus de sabedoria e bondade. Quando você se descuida das palavras, a maldade "transborda como uma torrente"![8] Palavras precipitadas e ânimo exaltado revelam um caráter superficial e completamente desprovido de beleza.[9]

3. *Aprenda a esperar* – Quando alguma coisa desagradável acontecer, siga a "lei" de não fazer nem dizer nada. Se você tiver de reagir naquele momento, use palavras brandas, porque "a resposta *branda* desvia o furor" (Provérbios 15.1, grifo meu). E espere. A espera lhe dará tempo para:

- pegar a Bíblia e encontrar o que Deus diz sobre como lidar com a situação;
- procurar conselho e descobrir o que as pessoas sábias dizem; Provérbios 15.22 adverte: "Onde não há conselho fracassam os projetos." Provérbios 28.26 admoesta: "O que confia no seu próprio coração é insensato."
- orar para ter um coração bondoso e encontrar uma solução sábia para a situação;
- acalmar-se, esfriar a cabeça, parar um pouco... Provérbios 17.27 diz: "Quem retém as palavras possui o conhecimento, e o sereno de espírito é homem de inteligência." Somente quando estamos calmos podemos ouvir bons conselhos e tomar decisões sábias.
- analisar o problema e decidir se a situação deve ser ignorada (Provérbios 19.11) ou se é preciso abrir a boca e dirigir-se (com sabedoria e bondade, é claro!) à pessoa envolvida;
- refletir sobre a pessoa envolvida: a ofensa foi esporádica ou está se tornando freqüente? Esse tipo de mau comportamento foi o primeiro ou é mais um de uma série?

4. Inclua doçura em sua fala – A sabedoria possui grande beleza quando é adoçada com palavras certas. Essa verdade está contida em Provérbios 16.21: "[...] a doçura no falar aumenta o saber." Quando são proferidas palavras agradáveis, as outras pessoas sempre se mostram mais dispostas a ouvir e a receber conselhos. É verdade que uma colher de açúcar ajuda o remédio a descer mais fácil!

5. Inclua persuasão em sua fala – Além de falar com bondade e doçura, saiba sobre o que você está falando. Seu discurso sempre será um indicador do que se passa em sua mente, e você há de querer demonstrar conhecimento quando fala. Quando você fala com autoridade, quando fica óbvio que conhece o que está falando, suas palavras tornam-se persuasivas. A verdadeira sabedoria nunca deixa de causar boa impressão.

6. Erre em prol do menos – Quando se trata de palavras, quanto menos melhor! Provérbios 10.19 diz: "No muito falar não falta transgressão, mas o que modera os seus lábios é prudente." Provérbios 17.28 ressalta: "Até o estulto, quando se cala, é tido por sábio, e o que cerra os lábios por entendido." Na linguagem contemporânea, "É melhor ficar calado e passar por tolo do que falar e afastar todas as dúvidas!"

Evidentemente, quando obedecemos aos dois padrões de Deus de sabedoria e bondade, nosso discurso torna-se belo. Que Deus nos transforme em mulheres de quem possa ser dito: "Fala com sabedoria, e a instrução da bondade está na sua língua" (Provérbios 31.26).[10]

Um convite à beleza

Agora, minha fiel e corajosa companheira alpinista, quero que você pense novamente naquela fonte no deserto, a fonte de vida. Depois, pense nas pessoas aflitas, cansadas e batalhadoras que fazem parte de sua vivência diária. Embora elas ostentem sorrisos corajosos, há outro provérbio que revela o que de fato existe por trás de cada sorriso: "O coração conhece a sua própria amargura [...] Até no riso tem dor o coração, e o fim da alegria é tristeza" (Provérbios 14.10 e 13).

Você não gostaria de juntar-se a mim e assumir o compromisso de revigorar e incentivar, animar e estimular o coração das pessoas que a rodeiam com palavras cheias de vida, com palavras sábias e bondosas? Você poderá ser uma fonte de vida. Em vez de ser alguém cuja tagarelice é como pontas de espada, procure ter a língua dos sábios, que é como medicina (Provérbios 12.18). Com as bênçãos e o amor de Deus no coração e escolhendo com cuidado palavras de sabedoria e bondade, você poderá curar os abatidos.

E quando você falhar, minha querida, lembre-se deste *abc* de sabedoria referente ao discurso belo:

- Aceite o desafio de Deus e profira apenas palavras sábias e bondosas;
- Busque ânimo e
- Continue tentando! É assim que você e eu poderemos continuar no caminho para alcançar o padrão de beleza de Deus!

20
Um Olhar Atento

Sua Administração

"Atende ao bom andamento da sua casa,
e não come o pão da preguiça."
Provérbios 31.27

"O que você fez hoje?" Recebo esse animado cumprimento de meu querido marido todos os dias quando ele volta para casa depois do trabalho. Feliz por estar em casa e contente por poder conversar um pouco, Jim dedica toda a atenção a mim. Depois de um dia desgastante no trabalho, ele quer saber como foi o meu dia. Sua sincera consideração por mim sempre me surpreende – e também faz meu coração bater mais depressa, porque, por uma razão ou outra, minha mente concentra-se diretamente naquela pequenina palavra *fez* – "O que você *fez* hoje?" Embora Jim não esteja solicitando uma prestação de contas, estou tão acostumada a justificar-me que respondo automaticamente: "Não sei exatamente o que fiz, mas de uma coisa eu sei – não fiquei sentada o dia inteiro!"

Eu não costumava vigiar o uso de meu tempo, se ele era usado de maneira sábia e efetiva! Mas isso foi antes de aprender com a bela mulher descrita em Provérbios uma lição poderosa, sobre tempo, vida e administração do lar: a mulher que é bela aos olhos de Deus "atende ao bom andamento da sua casa, e não come o pão da preguiça" (Provérbios 31.27). A sabedoria desse versículo – mostrando-me nitidamente o que eu devia fazer e o que não devia – apresentou-me um duplo desafio para a vida inteira.

Vigilância sobre seu rebanho

Ensinando-nos um pouco mais sobre a mulher que é bela aos olhos de Deus, a mãe do príncipe Lemuel diz: "*Atende* ao bom andamento da sua casa" (Provérbios 31.27, grifo meu). Sabemos que a mulher de Provérbios 31 tem dinheiro para pagar suas servas (v. 15), mas vemos aqui que ela está envolvida ativamente na administração do lar. Ninguém dirige a casa para ela. O lar é *seu*, a família é *sua*, o serviço da casa é *seu*, e ela considera esse trabalho de administração como sendo de sua *responsabilidade*.

Usando uma imagem familiar para seu jovem filho (o rapaz que um dia seria rei e "atenderia" a seu povo), a mãe descreve sua futura esposa como uma sentinela. Encarregado de observar atentamente, uma sentinela guardava e vigiava uma cidade ou uma propriedade. Lemuel cresceu vendo sentinelas a postos 24 horas por dia nos muros da cidade, observando torres e picos das colinas. Precisavam estar sempre alerta a uma ação hostil e relatar ao rei qualquer atividade suspeita.[1] O jovem Lemuel sabia exatamente o que era uma sentinela e o que fazia.

Sua sábia mãe, mestra em administração, diz que o filho deve casar-se com uma mulher que "atenderá" ao bom andamento da casa, uma mulher – conforme se costuma dizer – com olhos na nuca! Por ser uma sentinela, a mulher vira a cabeça de um lado para o outro a fim de não perder um só detalhe![2] Esse simbolismo da sentinela sugere que ela monta guarda e move seu olhar para todos os lados observando quem chega e quem parte, a fim de cumprir a divina missão de supervisionar sua preciosa família e sua propriedade. Ela faz uma boa vigilância e supervisiona tudo.

Até que ponto a bela mulher aos olhos de Deus considera a vigilância como responsabilidade sua? A versão King James diz: "Ela cuida *bem* do andamento de sua casa" (Provérbios 31.27, grifo meu). Em outras palavras, ela não se limita a dar uma olhada nas coisas ou verificar a temperatura do lar (de maneira literal e figurada) apenas de vez em quando. Ela olha atentamente, analisa a situação e supervisiona tudo o que pertence a seu lar. Alerta e cheia de energia, ela mede a pulsação de sua casa: nada escapa a seu exame minucioso e controle.[3] Veja, o trabalho que Deus designou a ela é manter um olhar atento, saber tudo o que se passa debaixo de seu teto e cuidar das pessoas e da casa.

A seguir, vemos que ela "atende ao *bom andamento* da sua casa" (Provérbios 31.27, grifo meu). Ela observa atentamente a rotina do dia-a-dia – o "andamento" da casa, o entra-e-sai, os hábitos e atividades das pessoas que ali residem. A palavra hebraica para *andamento* significa literalmente trilhas formadas por uso constante. Elas são iguais aos sulcos que surgem no gramado ou na estrada produzidos por tráfego intenso.[4] A mulher vigilante está ciente desses hábitos e observa qualquer mudança. Nada a pega de surpresa!

A bela guardiã de Deus observa tudo o que ocorre em seu lar. Ela acompanha a cada minuto a situação dos membros da família e a movimentação da casa. Fica atenta a tudo o que se passa dentro de suas paredes. Assim como a sentinela da cidade relata ao rei qualquer ação suspeita ou perigosa, a bela mulher de Deus faz soar o alarme sempre que necessário. Quando há um problema qualquer, ela comunica o fato ao marido. Ela é sua fiel sentinela.

Sempre fiel, ela "atende ao bom andamento da sua *casa*" (grifo meu). E a casa estende-se além dos membros da família. O marido e os filhos são sua maior preocupação. São suas ovelhas; o bem-estar e as atividades deles vêm em primeiro lugar. Mas além dessas ovelhas e de outros rebanhos, literalmente falando, que ela porventura tenha (Provérbios 31.17 e 27.23), nossa bela mulher também cuida do rebanho de sua casa. Como "dona" da casa, ela também cuida dos parentes e das servas, observando-os atentamente, da mesma forma que o pastor vigia seu rebanho.

Vigilância sobre si mesma

A mulher que é bela aos olhos de Deus também vigia a si mesma: ela "não come o pão da preguiça" (Provérbios 31.27). A palavra hebraica para o verbo *comer* sugere um estilo de "viver bem", mas a bela mulher de Deus *não* procura ter "boa vida"! Ao contrário, ela prefere não ter uma vida ociosa com fartura de comida e bebida.[5] Ela, que vigia atentamente sua casa, não reserva lugar em sua agenda para a preguiça. E como poderia ser preguiçosa? Como encontraria tempo para isso? Por ter de cuidar da casa e de vigiar seu rebanho, ela não tem tempo para ociosidade e preguiça. A recíproca também é verdadeira: por não ser preguiçosa, ela tem o tempo de que necessita para vigiar a casa e certificar-se de que está bem administrada!

Em Provérbios 31.27 ("não come o pão da preguiça"), também é interessante notar que a palavra hebraica para "pão" é associada a "moleza". O emprego de "pão" com "come" retrata o seguinte cenário: para a bela mulher de Deus, não existe nenhum tipo de moleza. Uma tradução nos diz que ela "não se contenta em passar a vida comendo e dormindo".[6] Meu comentário predileto diz simplesmente: "Ela nunca sente preguiça"![7] Você entende agora por que nunca fico sentada? Provérbios 31.27 é um constante desafio para mim!

Como ser bela

As pessoas em primeiro lugar. Um bom princípio para ser lembrado quando falamos da vida que existe debaixo de nosso teto é: "As pessoas em primeiro lugar, depois a casa." As pessoas queridas que compõem sua família serão sempre mais importantes do que a casa onde você mora. Afinal, a casa existe para servir às pessoas. Portanto, sua bela tarefa é ter em mente que as pessoas da casa devem receber cuidados espirituais, emocionais e físicos. A missão que Deus lhe deu requer que você zele para que os membros de sua família tenham alimentos e roupas – como a mulher de Provérbios 31 fazia!

Com base nessa responsabilidade, leia estas palavras memoráveis escritas pela esposa, mãe, avó e bisavó Edith Schaeffer: "Mães e avós negligenciadas talvez recebam esse tipo de tratamento hoje porque, no passado, ensinaram, com suas atitudes, que a necessidade de atenção é menos importante que uma casa bem arrumada, horários cumpridos ou regras e regulamentos."[8] Se você seguir o preceito de "pessoas em primeiro lugar, depois a casa", estará sempre concentrando sua energia no ponto certo, o ponto da beleza máxima.

Uma das maneiras de zelar pelas pessoas é orar por elas. O salmista diz: "Se o Senhor não edificar a casa, em vão trabalham os que a edificam; se o Senhor não guardar a cidade, em vão vigia a sentinela" (Salmo 127.1). Enquanto você estiver deste lado do céu, nunca saberá quantas famílias desanimadas voltaram a animar-se por causa de suas orações por elas, quantos problemas foram resolvidos porque Deus concedeu sabedoria em resposta a seus pedidos, ou quantas batalhas espirituais foram vencidas sob seu teto porque suas súplicas ultrapassaram o telhado da casa e alcançaram o trono do céu!

Depois, a casa. Após zelar pelas pessoas da casa, você poderá voltar a atenção para seus "afazeres domésticos". Tenho sobre minha mesa um livro volumoso de 1861 intitulado *Beeton's Book of Household Management*[9] [Manual de Beeton sobre a administração da casa], que ganhei de uma amiga que mora na Escócia.

Suas 1.125 páginas apresentam informações detalhadas sobre como criar, selecionar, abater, temperar, conservar e preparar animais para o consumo, como servir uma refeição para 19 pessoas, instruções para cozinheiras, criadas, cocheiros, lavadeiras, enfermeiras, etc. e informações médicas e legais. Esse manual foi elaborado para ajudar as mulheres que desejam supervisionar a casa e zelar por ela!

Tenho pensado no que nós, mulheres belas aos olhos de Deus, fazemos para supervisionar nossos lares, e gostaria de apresentar minha lista, que, como a sua, é diferente da lista de Beeton! Mas, da mesma forma que a mulher de Provérbios 31, eu supervisiono minha casa – as pessoas, o lugar, as finanças, as refeições, as "criadas" e as roupas. Por exemplo, neste momento, minha máquina de lavar roupas (minha criada lavadeira) está funcionando. Já liguei as mangueiras d'água (meu jardineiro), fechei e resfriei a casa (estamos no verão!), levei o carro à oficina (ajudada por meu cocheiro) e tomei o café da manhã com meu marido (alguns momentos de companheirismo). Enviei *e-mails* para minhas filhas (continuo "vigiando-as" e mantendo relacionamento a longa distância). A casa está arrumada, as contas estão pagas, a correspondência foi expedida, as ligações telefônicas recebidas tiveram retorno, e o trabalho do dia foi planejado. Conversei com o Senhor, e Ele animou meu coração e fortaleceu-me para enfrentar mais um dia atarefado e agitado. Agora são 11h30, e estou tentando encontrar meu primeiro momento de folga para colocar meu lar e minha família no ritmo certo, no "andamento" certo.

Quando Katherine e Courtney eram pequenas, a rotina era igual, acrescida da tarefa de acompanhar os deveres escolares e de supervisionar as pequenas incumbências que lhes eram destinadas. Eu investia tempo e esforço para instruir Katherine e Courtney, a fim de que, no futuro, elas tivessem competência para administrar os próprios lares – saber limpar a casa, cozinhar, arrumar a mesa, cuidar do cão, manter o quintal limpo, lavar, passar e dobrar as roupas. Eu tinha enraizadas em mim certas disciplinas, tais como asseio, escovar os dentes nas horas certas e chegar à escola no horário – e carregando a lancheira!

Depois de ter passado seis ou sete horas cuidando da casa, agora vou iniciar meu trabalho de escrever, com algumas pausas para jantar com Jim, buscar o carro dele no fim do dia, deixar tudo arrumado para o dia seguinte e passar mais umas duas horas escrevendo antes de dormir. Pelo menos não vou ter de destroncar um frango!

Peço-lhe desculpas por ter tomado tempo e espaço para relacionar minhas atividades do dia. Eu só quero que você compreenda – quer trabalhe fora quer não – que cuidar da casa e ser vigilante envolve muitas coisas. Qualquer outra responsabilidade ou trabalho deve vir depois que as prioridades da família e do lar estiverem concluídas. Eu não começo a escrever (e eu pesquiso e escrevo durante cerca de dez horas por dia) antes de ter cuidado da família e da casa. Para mim, essa tarefa leva cerca de oito horas por dia! Meu "trabalho" de escrever e de ensinar nunca será motivo para que eu negligencie o bom andamento de minha casa!

E o mesmo aplica-se a você. A renda procedente de um trabalho nunca pode substituir os cuidados que você dedica à família e ao lar. A mulher bela aos olhos de Deus (não necessariamente aos olhos do chefe, do supervisor, do patrão, das colegas no escritório ou [epa!] do editor) faz questão de cuidar de seu lar e de deixá-lo lindo. A frase engraçada que afirma: "Hoje em dia, existem três turnos em casa – o pai trabalha no turno da noite, a mãe no turno do dia, e as crianças escolhem o próprio turno" jamais deve ser aplicada ao lindo lar que você está edificando para Deus! Tendo o coração voltado para a beleza dentro do padrão de Deus, usando um pouco de seu talento para administrar o tempo e fazendo um planejamento para o dia, você saberá levar a bom termo tudo o que a vida colocar diante de seu caminho.

Um convite à beleza

Sei que o que vou dizer talvez não pareça muito atraente ou emocionante, mas seu lar é definitivamente o lugar mais digno de ser alvo de seu zelo constante. Na verdade, o lar é o lugar mais importante do mundo para você passar o tempo e investir energia. Por que digo isso? Porque o trabalho que você realiza em um "pequenino lugar" como o seu lar é eterno, significativo e importante. Quando você se der conta disso, compreenderá que o trabalho no lar é o serviço mais sublime que você presta a Deus! Eu a convido a desfrutar da alegria de servir em um pequenino lugar... como o seu lar.

Um pequenino lugar

"Onde, meu Senhor, hoje vou trabalhar?"
Enquanto cálido e livre fluía meu amor,
Ele me respondeu assim:
"Vês aquele pequenino lugar?
Cuida dele para Mim."

"Oh, não, ali não!", eu reagi.
"Ninguém jamais o verá.
Por mais que eu trabalhe ali,
Meu lugar ali não será!"

Quando sua branda e meiga voz ouvi
Com suave ternura dizer assim:
"Procura descobrir dentro de ti:
Trabalhas para os outros ou para MIM?
O exemplo da pequenina Nazaré tu tens...
e da Galiléia também."[10]

21

Um Cálice de Bênçãos

Sua Família

"Levantam-se seus filhos, e lhe
chamam ditosa [...]"
Provérbios 31.28

Enquanto escrevo este capítulo, Jim e eu estamos nos preparando para uma viagem. Vamos participar de uma festa surpresa para um casal maravilhoso, ambos na casa dos 70 anos. A festa está sendo oferecida pelos filhos e netos do casal. Não se trata de bodas de ouro, ninguém está se aposentando, nem é aniversário de um deles. No convite consta, simplesmente, que o evento será uma "homenagem". Não é uma excelente idéia?

Bem, minha bela amiga, este capítulo também é uma homenagem. Ao longo de 20 capítulos, você e eu acompanhamos a descrição de uma mulher bela aos olhos de Deus feita por uma mãe ao filho. Juntas, assimilamos suas nobres qualidades – a diligência, o trabalho árduo, o costume de levantar cedo, os preparativos cuidadosos, a sábia administração, o espírito empreendedor, o discurso transmitindo ânimo, a vigilância sobre o marido e os filhos e o desejo de fazer o melhor para o bem-estar da família.

Motivada pelo amor, a bela mulher de Deus alegra-se em dedicar sua vida à família. Ela possui realmente um tipo raro de beleza (v. 10)!

E agora vamos presenciar uma homenagem feita a ela. A bela mulher aos olhos de Deus está recebendo seu maior prêmio – não da comunidade em que vive, nem dos habitantes da cidade, dos crentes da igreja, dos colegas de trabalho ou da vizinhança. Seu cálice de bênçãos vem daqueles a quem ela mais preza, dos que a conhecem melhor e que receberam, durante toda a vida, as primícias de seu amor no dia-a-dia – sua família! Vamos ouvir como seus filhos a louvam.

Uma mãe ditosa

Provérbios 31.28 declara: "Levantam-se seus filhos, e lhe chamam ditosa." Não os conhecemos nem de vista nem pessoalmente, mas vemos aqui que os filhos da bela mulher de Deus "levantam-se" e a louvam em uníssono! Eu sorrio ao ler uma das interpretações desse versículo: "Levantam-se de manhã e, quando encontram tudo preparado, os filhos manifestam gratidão a ela."[1] Essa demonstração de gratidão é tudo o que uma mãe sonha em receber dos filhos, mas nem sempre é o que acontece. Outro comentarista sugeriu que levantar, aqui, significa ficar em pé diante dela em sinal de respeito (mais uma fantasia de todas as mães!).[2] Outra possibilidade é que os filhos ficam em pé para fazer um comunicado, dizer palavras de elogio em homenagem a ela,[3] como se estivessem prontos para discursar em uma cerimônia especial.

Essas interpretações talvez sejam interessantes, mas, na verdade, *levantam-se* significa que os filhos da mulher de Provérbios 31 tornam-se adultos e saem de casa para ter uma vida que traz honra, bênçãos e crédito para ela. A vida dos filhos passa a ser um louvor ao trabalho e ao mérito dela.

Minha abençoada amiga, seja qual for o significado de *levantam-se*, uma coisa é clara: os filhos da mulher de Provérbios 31 prestam a mais alta homenagem à mãe. Eles a chamam ditosa. Eles a louvam. Eles experimentam os doces frutos de suas virtudes, e ela experimenta os doces frutos da vida de cada um deles e alegra-se com isso. Conforme eu disse, eles a chamam ditosa – e ela é bem-aventurada (que significa feliz)![4] As palavras sinceras que eles proferem e a vida exemplar que levam são bênçãos para ela. O cálice de bênçãos da mulher de Provérbios transborda!

O fato de orar para que minhas filhas também se "levantassem" – não para agradecer, nem para ficar em pé ou fazer um discurso no momento em que eu entrasse em casa, mas para que tivessem uma vida piedosa – forçou-me a examinar meu coração e minha alma. Aqueles momentos de oração também me ajudaram a identificar alguns pontos essenciais do amor da mãe que é uma bênção para a família. Esses pontos essenciais têm a ver com o coração de uma mãe, com *seu* coração – e aplicam-se a filhos, enteados e netos.

Ponto 1: A mãe zela

A mãe reparte seu amor diariamente com os filhos por meio do *dom dos elementos básicos* – alimento, roupas, abrigo e descanso. Há uma placa para ser pendurada na cozinha que diz: "Aqui se realizam cultos três vezes por dia!" Essa frase nos dá uma idéia maravilhosa do zelo que nós, mães, dedicamos a nossos filhos, seguindo os passos da mãe mencionada em Provérbios 31: ela cuida bem dos filhos e passa a maior parte do dia proporcionando alimento e roupas para seus queridos. O abrigo oferecido por ela inclui um lar aquecido, não apenas materialmente falando, mas também no amor. Por ela não ser uma mulher rixosa (Provérbios 21.9) ou inquieta (Provérbios 7.11), seu lar é um abrigo onde a família pode descansar e saber o que é paz. Ela zela diariamente pelo bem-estar físico da família.

Zelo materno também significa difundir o *dom do tempo*. Cada minuto – ou melhor, cada segundo – que passamos com nossos filhos é muito importante! Amor quer dizer TEMPO – tempo, tempo e mais tempo; tempo no sentido de minutos e tempo no sentido de anos. Na verdade, nossos filhos exigem tempo a vida inteira! Os pequenos necessitam de nosso tempo – e muito! Você sabia que 50% do desenvolvimento do caráter e da personalidade da criança ocorre por volta dos três anos de idade, e 75% por volta dos cinco? Nossos filhos também necessitam de nosso tempo quando crescem. Quando aprendem a raciocinar e a conversar, quando enfrentam desafios na escola e no colégio, quando se tornam jovens adultos e ingressam no mercado de trabalho ou na faculdade, eles necessitam que lhes dediquemos tempo. E eles necessitam de nosso tempo quando amadurecem, quando estão prontos para ser nossos amigos. Os filhos da mulher de Provérbios 31 – que se tornaram *amigos* dela – levantam-se para elogiá-la! Cada minuto – ou melhor, cada segundo – que dispensamos tempo a nossos filhos é um investimento no caráter e no futuro deles.

O zelo materno não termina quando os filhos passam a viver longe de casa. A mãe lhes concede o *dom do amor a longa distância*. Ana, a bela mãe do Antigo Testamento, dedicava um grande amor a longa distância ao pequeno Samuel (1 Samuel 2.19). Apesar de estar longe da mãe cerca de um dia de viagem, Samuel sabia que era amado, porque Ana (também uma tecelã) passava o ano inteiro confeccionando uma túnica nova para entregar-lhe pessoalmente por ocasião da festa anual na casa do Senhor.

A autora Elisabeth Elliot levanta-se e louva sua mãe pelas cartas que ela escrevia e lhe enviava de um local distante. A autora exclama: "Que tesouro ganhamos por causa de nossa falta de condições para pagar ligações interurbanas! Hoje, poucas famílias possuem um registro tão detalhado e íntimo quanto o nosso, agora guardado dentro de uma caixa no sótão de minha casa – todas as cartas que mamãe escreveu a seus filhos de 1954 a 1985."[5] Quando a Sra. Elliot saiu de casa pela primeira vez para estudar fora, sua mãe lhe escrevia duas vezes por semana. A partir de setembro de 1941 até meados da década de 1980, época em que começou a ter problemas de memória, Katharine Howard não deixou uma semana sequer de escrever para os filhos – para todos os seis! As cartas dessa mãe eram uma fonte inesgotável de um coração repleto de amor, e aquele amor encontrou um meio de percorrer distâncias. Um amor tão dedicado assim exige tempo. Imagine só escrever 12 cartas por semana – e sem computador! Tendo um coração transbordante de amor, a mãe cuida dos filhos e lhes proporciona o dom do tempo.

Ponto 2: A mãe concentra

Como belas mulheres de Deus, você e eu concentramos todas as nossas energias e nossos esforços maternos em um só objetivo: criar cada filho nosso para amar a Deus. A missão que Deus nos dá é criar um menino ou uma menina que sirva a Ele e o honre. Nosso objetivo não é o de criar um médico, um professor, um engenheiro, um atleta, nem mesmo um pastor ou missionário. Deixamos a vocação de nossos filhos a cargo de Deus e nos concentramos em educar uma criança para que ela seja segundo o coração de Deus. Moisés era pastor de ovelhas, mas seu coração pertencia a Deus. Davi também era pastor de ovelhas, Paulo fazia tendas, e Pedro era pescador, mas cada um tinha um coração dedicado a Deus.

Que privilégio unir-se a Deus para instruir a próxima geração, pessoas que, por sua vez, instruirão a geração seguinte (Provérbios 22.6)! A mãe, avó e bisavó Edith Schaeffer explica: "Temos a responsabilidade de 'empunhar a bandeira [da fé]' e de tomar muito cuidado para não deixá-la cair – ou abandoná-la – por causa de nosso dever para com a próxima geração... Transmitir a verdade a uma nova geração é um dos principais mandamentos de Deus."[6]

À medida que você se esforça para passar sua fé adiante, eu a incentivo a orar por seus filhos todas as noites. Analise, por exemplo, o clamor da mãe do Dr. Harry Ironside, que ficou conhecido no século 19 como o "Menino Pregador de Los Angeles" e que, posteriormente, foi pastor da Moody Memorial Church de Chicago e autor de mais de 60 livros. Todas as noites, sua mãe, Sophia, orava desta maneira enquanto o colocava na cama: "Pai, salva meu filho desde já. Impede-o de desejar qualquer outra coisa que não seja viver para Ti... Ó Pai, que ele esteja disposto a ser humilhado e esbofeteado, a sofrer vergonha ou qualquer outra coisa em nome de Jesus."[7] A Sra. Ironside concentrou-se em uma só coisa para seu filho – que ele amasse a Deus!

Ponto 3: A mãe planeja

A bela mãe descrita em Provérbios 31 planejou progredir em suas funções (vv. 15, 27), e você e eu também precisamos planejar. O desfecho está sempre nas mãos de Deus, mas a direção diária do lar está em nossas mãos. Permita-me contar a você o que eu quero (e queria) para minha família e o que planejo (e planejei) para isso. Coisas tão grandes quanto os desejos de meu coração (e do seu também, eu tenho certeza) não acontecem sem que haja planejamento!

Em primeiro lugar, quero ter a dinâmica *presença do Senhor* em meu lar, o que significa a, antes de tudo, abastecer meu coração. Significa programar um tempo para ler a Palavra de Deus e orar, de modo que eu ostente a marca de uma mulher bela aos olhos de Deus. Para que a presença de Deus seja óbvia em meu lar, em meus afazeres e em meu relacionamento com a família, Ele precisa estar presente em meu coração.

Quando eu era uma jovem mãe, o objetivo que eu tinha em mente era *transmitir a fé em Jesus Cristo* às minhas filhas (os netos e as netas também estão incluídos aqui). E, mais uma vez, o planejamento me ajudou. Planejei freqüentar a igreja com regularidade e fazer um culto doméstico diário com minhas meninas. Em minhas orações, planejei falar de Deus com elas e pedi ao Senhor que me ajudasse a enxergar as oportunidades de levá-las até Ele. Meus planos incluíam cercar Katherine e Courtney de pessoas que compartilhassem minha fé. Acredite ou não, até minhas orações foram planejadas para que eu pudesse orar por *elas* regularmente! Planejei rituais para a hora de dormir e encontrei livros bíblicos e histórias bíblicas para ler para minhas filhas. Vale a pena fazer um bom planejamento para transmitir a fé em Cristo a seus filhos.

Um ambiente agradável no lar cria um lindo cenário para lembranças felizes. Eu quero ter em casa um ambiente aconchegante e as boas memórias que ele promove, portanto planejo para isso. Planejo as refeições, inclusive como arrumar a mesa para deixá-la mais bonita. Planejo ter ordem no lar, nos afazeres domésticos e na manutenção de nossas roupas para que a vida seja mais tranqüila. Também planejo surpresas para que a vida no lar seja divertida. Caso todo esse planejamento pareça exigir muito esforço, lembre-se de que nenhuma obra de arte é feita às pressas. A arte requer planejamento e projeto, e o mesmo se aplica à obra de arte chamada "Lar".

Quero ter *progresso* no *relacionamento* com minhas filhas e faço planos para isso. Planejo palavras a serem proferidas, perguntas a serem feitas, maneiras de expressar meu amor, e escolha de dádivas especiais e de atos de bondade que devo estender a elas. Planejo passeios ao ar livre, feriados e comemorações de Natal, Páscoa e aniversários.

Outra maneira de melhorar o relacionamento é planejar para aproveitar ao máximo o pouco de tempo que você sabe que terá à sua disposição. Por exemplo, quando seu filho entrar pela porta após as aulas para trocar de roupa e sair correndo para trabalhar ou jogar bola, quando você tiver apenas alguns minutos disponíveis, planeje esses momentos cruciais. Quando você dispuser de apenas algumas horas para estar com seus filhos – o dia foi agitado, mas você pode aproveitar a hora da refeição antes que eles saiam novamente –, faça planos para essas ocasiões preciosas (e para as refeições também)! Ou quando você estiver ao lado de seus filhos, enteados ou netos apenas por alguns dias, planeje preencher esses dias com amor. Preencha cada minuto, cada hora e cada dia com bênçãos para seus filhos!

Minhas filhas Katherine e Courtney já estão casadas, mas eu continuo a cultivar meu relacionamento com elas e com seus maridos, portanto (você adivinhou!), planejo para isso! Escrevo e envio *e-mails* para minhas filhas, oro por elas e por suas famílias, ofereço pequenos presentes para ajudá-las nos afazeres como recém-casadas e no que mais for necessário, visito-as e comemoro datas especiais – tudo com muito planejamento. E, às vezes, planejo não ligar para elas ou não incomodá-las!

É imperativo que o plano final seja bem elaborado – você precisa planejar para ter *persistência*; precisa planejar para continuar sua tarefa de mãe – sob quaisquer circunstâncias! Ouvi uma entrevista pelo rádio objetivando transformar vidas (ou melhor, transformar mães) com o Dr. Richard Mayhue, reitor do The Master's Seminary e pai de filhos adultos. O Dr. Mayhue comparou a educação dos filhos a um campo de futebol [americano] de 100 jardas, onde se realiza um jogo de vida ou morte. Ele mencionou que alguns pais param o carro no meio-fio em frente ao colégio (a linha de 50 jardas), abrem a porta, esperam as crianças descerem, acenam com um gesto de adeus e dizem: "Já ensinamos tudo o que vocês precisavam fazer. Agora sigam em frente e façam!" Há também os pais que entregam as chaves do carro ao filho (e, às vezes, dão a ele de presente um carro) de 18 anos (a linha de 75 jardas), postam-se diante do portão, acenam com um gesto de adeus e gritam: "Agora você está por sua conta. Já pode dirigir, tem idade suficiente para encontrar um emprego e sabe o que deve fazer. Boa sorte!" A maioria dos pais, contudo, despede-se do filho – ainda em condições de ser moldado – depois da cerimônia de entrega do diploma do ensino médio (a linha de 95 jardas) e grita: "Não se esqueça de nos visitar de vez em quando!"

O que o Dr. Mayhue queria enfatizar era a necessidade de "percorrer a distância" com os filhos, principalmente entre a linha de 95 jardas e o gol na linha de 100 jardas, com aqueles filhos que estão entre os 18 e os 25 anos. Ele descreveu as pancadas brutais, as escoriações e os arranhões que ocorrem em um verdadeiro jogo de futebol americano, enquanto o time luta para conquistar cada polegada das cinco jardas finais. Conforme ele sabiamente mencionou, é nas cinco jardas finais que o filho ou a filha escolhe uma carreira e um companheiro ou companheira – as duas decisões mais importantes (além da decisão de crer em Jesus Cristo) que eles tomam na vida!

Dito isso, minha querida amiga e mãe dedicada, você e eu precisamos fazer planos para incentivar, assistir, aconselhar e orar por nossos filhos, qualquer que seja a idade deles. Nossa missão requer que andemos de braços dados com eles, caminhando lado a lado, polegada por polegada, até a linha final – sob quaisquer circunstâncias! Nosso zelo e orientação jamais podem cessar. E, confie em mim, seus filhos levantar-se-ão e a louvarão por sua persistência e orações!

Como o espaço é limitado, não vou poder contar-lhe muitas outras convicções profundas que tenho acerca do que a Palavra de Deus nos ensina a respeito da arte de ser mãe e as muitas lições que aprendi ao criar minhas filhas, mas eu recomendo a leitura de quatro capítulos de meu livro *Uma Mulher Segundo o Coração de Deus*[8] sobre "O coração de uma mãe". Afinal, ser mãe é verdadeiramente um assunto do coração – *seu* coração!

Ponto 4: A mãe trabalha

Em lugar da seção "Como ser bela", quero mencionar mais um elemento essencial que, por certo, abrange algumas sugestões de como ser mãe: A mãe obedece ao plano de Deus à medida que ela trabalha para educar os filhos. Ora, o amor precisa ser trabalhado – com firmeza e sacrifício. Nos 19 versículos sobre a mulher de Provérbios 31 que estudamos até agora, contei cerca de 12 a 15 referências óbvias e veladas ao trabalho dela. Sabemos que ela levanta enquanto ainda está escuro e que sua lâmpada não se apaga de noite (vv. 15, 18). Desde a madrugada até tarde da noite, ela está atarefada trabalhando para a família por causa do grande amor que sente pelos seus.

Atente mais uma vez para as palavras comoventes de Edith Schaeffer: "Ser mãe é uma missão pela qual vale a pena lutar, uma carreira que vale a pena escolher, e vale a pena a dignidade desse difícil trabalho."[9] E, acredite em mim, ser mãe é o trabalho mais difícil de enfrentar! O amor de mãe é um trabalho incessante, infinito! Pense no que seu trabalho como mãe pode realizar:

- A mãe ama os filhos.
  O trabalho põe o amor em ação.
- A mãe zela pelos filhos.
  O trabalho é manifestado por meio de seu carinho.
- A mãe concentra-se em tornar Cristo conhecido a seus filhos.
  O trabalho (e principalmente a obra de Deus no corção deles) alicerça a fé.

Enquanto você e eu exercemos o difícil trabalho de ser mãe, Deus abençoa nossos esforços e nos ajuda a realizar os sonhos que temos para nossa família.

Uma palavra agora sobre como devemos fazer esse trabalho. A Palavra de Deus diz que devemos trabalhar sem murmurações nem contendas (Filipenses 2.14). A Palavra de Deus diz que devemos trabalhar como para o Senhor, e não para homens (Colossenses 3.23). Devemos trabalhar com disposição e alegria (Provérbios 31.13). Devemos trabalhar sem esperar nenhuma recompensa (Lucas 6.35). E devemos trabalhar – ensinando, instruindo, disciplinando, zelando, planejando, doando, orando e crendo –, porque essa é a missão que Deus nos deu!

E se...?

Eu quase posso ouvir você dizendo: "E se meus filhos não seguirem minhas orientações espirituais e práticas? E se eles não viverem para Deus? E se eles não trilharem o caminho que lhes ensinei? E se nunca me agradecerem nem mesmo notarem tudo o que tenho feito por eles? E se nunca me prestarem qualquer tipo de homenagem?"

Eu também tenho esses pensamentos, mas aprendi que a energia e os esforços de uma mãe nunca devem ser motivados por possíveis recompensas. Ora, Deus determinou seu papel: como mãe, você deve amar seus filhos – sob quaisquer circunstâncias (Tito 2.4); você deve instruir seus filhos – sob quaisquer circunstâncias (Provérbios 1.8); você deve ensinar seus filhos – sob quaisquer circunstâncias (Provérbios 22.6); você deve corrigir seus filhos – sob quaisquer circunstâncias (Provérbios 29.17); e você deve zelar por seus filhos – sob quaisquer circunstâncias (Provérbios 31.27).

E mesmo quando uma mãe se pergunta se todos os seus esforços terão como resultado filhos piedosos, ela continua a esforçar-se. Por quê? Porque dentro de seu coração ela tem fé, não no que está fazendo, mas em *Deus*! A mãe zelosa faz tudo à maneira de Deus – sob quaisquer circunstâncias – e deixa os resultados de sua obediência nas mãos de seu Deus sábio, poderoso e bondoso. Como mãe, sua missão é obedecer ao plano de Deus. A missão de Deus é fazer com que todas as coisas cooperem para seu divino propósito (Romanos 8.28) a fim de que você possa experimentar qual seja a boa, agradável e perfeita vontade dele (Romanos 12.2) não apenas na vida de seus filhos, mas na sua também! A mãe confia em Deus e obedece Àquele a quem ela serve, enquanto educa seus filhos.

Um convite à beleza

Evidentemente, fico emocionada quando falo da missão de ser mãe. Espero – e oro nesse sentido – que meu entusiasmo forneça o impulso necessário para aflorar a lutadora que existe dentro de você! Conforme o relato da Sra. Schaeffer na página 236: "Ser mãe é uma missão pela qual vale a pena lutar!" Quando se trata de ser mãe, não existe lugar para neutralidade, ignorância, indiferença ou atitudes do tipo "atirar tudo para o ar" ou "eu desisto"! É por isso que estou tentando contagiar você com o entusiasmo que estimula o zelo constante, os esforços contínuos, a perseverança e o compromisso com 100% de motivação, e um pouco mais! Ser mãe – a mãe que Deus deseja que sejamos – atinge o coração de gerações de filhos.

Para encerrar, gostaria de dizer-lhe que chorei ao ler sobre a mãe de Bill Bright, o fundador da Cruzada para Cristo no Câmpus. Ela era descrita como uma mãe "comum". No entanto, enquanto agonizava, aos 93 anos de idade, 109 membros de sua família, incluindo filhos, netos, bisnetos e trinetos, passaram por seu leito de morte para manifestar amor e gratidão. Todos queriam levantar-se e "chamar-lhe ditosa".[10] E isso, minha amiga, minha querida amiga, é exatamente o que desejo para mim e para você!

22

Um Magnífico Coro Final

Seu Louvor

"Levantam-se seus filhos, e lhe chamam ditosa,
seu marido a louva, dizendo: Muitas mulheres
procedem virtuosamente, mas tu a todas sobrepujas."
Provérbios 31.28-29

Eu me comovi com esse tributo de amor que um marido escreveu à sua fiel esposa na dedicatória de um livro:

Com grande amor e agradecimento, dedico este livro à minha amada companheira e esposa, Evelyn, que, ao longo de quatro décadas, sempre esteve a meu lado oferecendo-me amor, cooperação e compreensão quando outras pessoas duvidaram. Através dos anos, ela tem me acompanhado em mútua devoção e oração a nosso Pai celestial e me ajudado a manter a fé quando a visão dos outros era limitada. Ela é verdadeiramente uma auxiliadora que Deus me deu.[1]

As palavras dessa dedicatória refletem o tipo de gratidão e de reconhecimento que habitava também no coração do marido da mulher de Provérbios 31 e proporciona o palco para o apoteótico final de elogios desse capítulo dedicado à mulher bela aos olhos de Deus.

Uma esposa excelente

A mulher de Provérbios 31 provou ser uma mãe abençoada e agora vemos – sem nenhuma surpresa – que ela também é uma esposa excelente e apreciada, que conta com a feliz aprovação de seu marido. Em nosso poema de virtudes, o homem que ocupa o primeiro lugar no coração dela dá a última palavra de louvor à esposa que é bela aos olhos de Deus.

O final desse poema inicia com estas palavras: "seu marido a louva" (Provérbios 31.28). Os filhos dessa maravilhosa mulher concluíram os elogios, e quem fala agora é a pessoa mais importante para ela. Ele a homenageia com palavras sinceras, reconhecendo e apreciando tudo o que ela lhe tem feito. Ele entoa um magnífico coro final pelos numerosos trabalhos altruístas que sua bela esposa lhe tem demonstrado ao longo dos anos.

O marido abençoado – o grande líder do povo e homem de influência que é estimado entre os juízes – "a louva" (Provérbios 31.28)! Com orgulho e em público, ele enaltece a mulher que o ajuda a carregar o fardo diário; ela é seu ombro amigo nos momentos de tensão, sua fiel conselheira, sua melhor amiga, sua incessante alegria e sua mais brilhante coroa! Ele, que é seu companheiro de juventude (Provérbios 2.17), compartilhou grande parte de sua jornada com ela. E aqui, depois que os filhos "se levantam" e partem para o mundo, ela continua a ser sua fiel esposa, fazendo-lhe bem todos os dias da sua vida (v. 12).

Um exército de mulheres virtuosas

Apressadas, aguardamos com ansiedade o marido da bela mulher de Deus – a pessoa que mais a conhece – iniciar sua declaração de louvor: "Muitas mulheres procedem virtuosamente" (Provérbios 31.29). Sabendo como são as mulheres e como elas agiam (afinal, ele é casado com uma delas!), esse homem sábio reconheceu que *muitas* são virtuosas. De fato, existe um exército inteiro de mulheres piedosas. Sentado com os anciãos da terra (v. 23), ele sabia quem eram as mulheres de caráter forte de sua cidade. Tenho certeza de que ele podia mencionar as mulheres que conquistaram prosperidade, que mereceram o reconhecimento da comunidade e que viviam de maneira digna. Sim, existiam muitas!

E ele reconhece: "Muitas mulheres procedem *virtuosamente*" (Provérbios 31.29, grifo meu). Você se lembra da definição da palavra *virtuosa* no Capítulo 1? Descobrimos que a palavra virtuosa ou *excelente* significa "poder da mente e poder do corpo", e descreve, com precisão, um exército. Aqui o marido da mulher de Provérbios 31 destaca um símbolo militar na palavra *virtuosamente*. Muitas mulheres procedem virtuosamente. Muitas procedem de maneira excelente. Muitas procedem de maneira corajosa. Muitas provam seu valor. Muitas conquistam riqueza e prosperidade. Muitas demonstram grande força e poder.

A melhor de todas!

E o marido, orgulhoso e agradecido, prossegue: "mas tu a todas sobrepujas" (Provérbios 31.29). Sua preciosa esposa é bela aos olhos de Deus e também aos olhos dele. O coro de louvor ressoa à medida que ele declara: "tu a todas sobrepujas! Tu a todas transcendes! Tu a todas excedes! Tu és a melhor de todas!"[2] Em outras palavras, ele afirma que outras mulheres "realizam" seu trabalho dignamente, mas sua bela esposa "é" digna. Outras mulheres "realizam" suas atividades (e as fazem com excelência), mas ele elogia a esposa por causa de seu caráter: ela "é" excelente![3] Comparando-a a outras mulheres virtuosas do exército de Deus, ele afirma confiantemente que ela é a mais nobre de todas. Fascinado por seu excelente caráter, ele exulta: "tu a todas sobrepujas!"[4]

Uma observação: o Antigo Testamento hebraico proclama: "Tu te elevas acima de todas."[5] Essa afirmação em hebraico sugere que o marido elogia sinceramente a esposa por suas realizações e atividades – não por cortesia, por obrigação ou por educação. A bela mulher de Deus merece esse elogio honesto, porque ela é verdadeiramente a melhor de todas!

Um caleidoscópio de virtudes

Oh, minha querida amiga, espero que você não esteja cansada de ouvir falar dessa mulher fervorosa que exemplifica de maneira tão perfeita a beleza do ponto de vista de Deus. No decorrer de 20 versículos, analisamos suas virtudes piedosas e seu caráter irrepreensível. Essa mulher maravilhosa não é frívola, nem sua bela vida é construída sobre um alicerce raso. Uma beleza piedosa e virtuosa permeia sua vida e todo o seu ser, de modo que podemos aprender muitas coisas de valor com ela. Provérbios 20.5 diz: "Como águas profundas são os propósitos do coração [...] mas o homem [ou mulher] de inteligência sabe descobri-los." Esse tem sido o nosso propósito ao longo deste livro – aprender tudo o que pudermos sobre a beleza da mulher de Provérbios 31.

Em minha mente, ela é como um caleidoscópio. Quando você era criança, teve um caleidoscópio, aquele pequeno tubo de papelão no fundo do qual há fragmentos de vidro ou de plástico coloridos? Quando seguramos o caleidoscópio contra a luz, vemos um desenho formado pelos pedacinhos de vidro coloridos. Quando viramos o caleidoscópio, os fragmentos mudam de posição criando outra bela combinação de imagens com cores variadas.

Bem, minha esplêndida amiga, a mulher bela aos olhos de Deus é semelhante a um caleidoscópio. Em Provérbios 31, Deus permite que você e eu vejamos as imagens brilhantes e coloridas de sua vida de múltiplas facetas. À medida que passamos de um versículo a outro, de uma virtude a outra, à medida que colocamos o caráter da bela mulher de Deus contra a luz de seu Santo Espírito, suas virtudes resplandeceram, formando um delicado desenho. Em seguida, com uma leve mudança de ângulo, quando passamos para o versículo seguinte, vimos outra magnífica imagem de beleza capaz de tirar o fôlego. Provérbios 31 é o estudo de uma mulher em suas diferentes funções. Cada versículo possibilita analisar todas as suas virtudes, mas de um ângulo diferente. Ela é um caleidoscópio de virtudes!

Se girarmos levemente o caleidoscópio de Provérbios 31, entenderemos facilmente por que o marido tece grandes elogios à sua bela esposa. Maravilhemo-nos diante da glória de sua beleza de múltiplas facetas!

- Ela honra o nome e a reputação do marido porque é uma "mulher virtuosa" (v. 10).
- Ela contribui positivamente para o bem-estar financeiro dele e administra seu dinheiro para que não haja "falta de ganho" (v. 11).
- Ela lhe transmite paz de espírito para que ele possa concentrar-se nos desafios de sua posição de liderança: "O coração do seu marido confia nela [...] Ela lhe faz bem, e não mal, todos os dias da sua vida" (vv. 11 e 12).
- Ela supre as necessidades do lar, porque "ainda é noite e já se levanta, e dá mantimento à sua casa" (v. 15).
- Ela aumenta os bens do marido e expande sua propriedade, porque "planta uma vinha com as rendas do seu trabalho" (v. 16).

- Ela o aconselha e o incentiva com as palavras que profere. "Fala com sabedoria, e a instrução da bondade está na sua língua" (v. 26).
- Ela o livra das preocupações com a casa para que ele possa servir à comunidade. Ela "atende ao bom andamento da sua casa" (v. 27).
- Ela educa os filhos e, como conseqüência de seu excelente trabalho, "levantam-se seus filhos, e lhe chamam ditosa" (v. 28).

Não é de admirar que o coro de louvor do marido desta mulher que é bela aos olhos de Deus tenha atravessado os séculos!

Uma bela coroa

E aqui há outra imagem que atrai nosso olhar. A mulher que recebe esse coro exuberante de louvor é a bela coroa daquele que a elogia! Provérbios 12.4 diz: "A mulher virtuosa é a coroa do seu marido." A bela mulher de Deus é a coroa que seu marido usa. Ela é seu ornamento mais brilhante, e atrai todos os olhares para ele, um homem que é eminentemente honrado e abençoado.[6] A coroa é sinal de dignidade, e a mulher virtuosa – uma pessoa que se veste de força e dignidade (v. 25) – traz respeitabilidade, crédito e reputação não a si mesma, mas a seu marido.[7] Adornando e embelezando *sua* vida, *ela* é uma honra para ele. Ela é sua coroa.

E a bela mulher de Deus sente-se satisfeita por ser a coroa de seu marido. Afastando-se dos holofotes, ela vive alegremente nos bastidores para que o marido possa ser notado e enaltecido. Ela fica feliz quando ele é o centro das atenções, quando ele se destaca, quando é reconhecido, quando chega ao topo. Na verdade, ela se deleita em viver à sua sombra. A ascensão dele é a sua maior recompensa. Ela deseja que o marido seja altamente respeitado e estimado, portanto oferece de bom grado o supremo sacrifício de ser-lhe submissa.

O símbolo da coroa nos apresenta mais uma mensagem: essa bela coroa é uma coroa de alegria. Digo isso porque, na época da bela mulher de Deus, o noivo vestia-se com roupas semelhantes às de um rei para a cerimônia de casamento. Se tivesse condições, usava uma coroa de ouro. Caso contrário, uma coroa de flores recém-colhidas conferia-lhe um ar de majestade. Para aquele glorioso dia, até mesmo um mendigo assemelhava-se a um príncipe, porque o povo lhe dedicava o respeito exigido pela alta posição que sua coroa simbolizava.[8]

Depois, quando o dia do casamento e as festividades caíam no esquecimento e a vida retornava ao normal, a esposa do homem passava a ser sua coroa. Essa mulher bela aos olhos de Deus lhe confere a dignidade devida a um rei. Ela tornou-se o símbolo de honra para ele – a coroa do marido, que enfeita a vida dele e transforma cada dia em uma comemoração. Graças a essa mulher virtuosa, a felicidade do dia do casamento prosseguiu ao longo de toda a vida dele. Isso, minha querida, é o que você e eu desejamos ser para nossos maridos – uma bela coroa de dignidade e de alegria para ele usar diariamente!

E se...?

Posso ouvir mais uma vez os seus lamentos. Você deve estar pensando: "E se meu marido não for o provedor, o homem, o pai, o líder espiritual que Deus exige que ele seja? Por que devo me incomodar?" Aqui está um pensamento para nós duas: as circunstâncias da vida jamais anulam os padrões de Deus. Vou explicar o que quero dizer mencionando algumas belas mulheres do exército de Deus que tiveram um casamento problemático.

Ana – Conforme vimos anteriormente, Ana era casada com um homem que tinha outra esposa, uma mulher que a perseguia e a provocava dia após dia, ano após ano (1 Samuel 1). Contudo, Ana permitiu que essas circunstâncias difíceis a aproximassem mais de Deus. Como resultado, Ana é uma das poucas mulheres da Bíblia a quem nunca se atribuiu nenhum comentário negativo. Seu marido não era o líder que deveria ser, mas Ana não permitiu que as circunstâncias da vida anulassem os padrões de Deus para sua vida ou interferissem nos propósitos do Senhor para que ela fosse bela a seus olhos!

Abigail – Você e eu já analisamos a triste vida de Abigail (1 Samuel 25). Sentenciada a viver com um marido insensato e alcoólatra, Abigail conformou-se e foi, dentro do possível, a melhor esposa, a melhor administradora do lar e a melhor patroa para seus servos. Reconhecida por todos como uma mulher virtuosa, ela foi avisada por um dos servos que sua casa estava correndo perigo. Sempre virtuosa no caráter, ela salvou literalmente o dia e a vida do marido, dos servos, sua casa e a si mesma.

Ester – A rainha Ester, que já mencionei neste livro, era casada com um rei pagão. Propenso a acessos de raiva e talvez a bebidas alcoólicas, ele era um homem difícil de lidar (veja o livro de Ester). Contudo, Ester (que significa "estrela") destaca-se como outro modelo de mulher bela aos olhos de Deus. Dez capítulos da Bíblia são dedicados a sua humildade, coragem e sabedoria. Ela pôs todas a suas virtudes em prática para fortalecer seu relacionamento com o marido e salvar a vida de seu povo, os judeus.

Com base nesses exemplos, insisto para que você olhe além das circunstâncias, *muito* além de seus problemas atuais, e até mesmo além de seu marido. Ao olhar para longe, coloque o caleidoscópio de Deus contra a luz da esperança e de sua Palavra e gire-o! Contemple a beleza que Ele tem em mente para você e que está incutindo em você em meio às difíceis circunstâncias enfrentadas. A graça de Deus é suficiente (2 Coríntios 12.9),

Ele é fiel (1 Coríntios 10.13), e Ele tem bons propósitos para sua vida (Romanos 8.28)! Um desses propósitos é torná-la cada vez mais bela a seus olhos, mais semelhante a seu Filho Jesus (Romanos 8.29)!

Em sua situação, talvez você esteja pensando: "E se meu marido nunca me elogiar? Faço tudo o que está na lista de Provérbios 31 e tento de todas as maneiras, mas nunca recebi nem sequer um *muito obrigado*!" Acho que você já conhece a minha resposta: da mesma forma que acontece em sua função como mãe, sua energia e esforços como esposa jamais devem ser motivados por possíveis recompensas. Deus determinou seu papel, e a Bíblia o descreve bem: como esposas, você e eu devemos fazer tudo de "coração, *como para o Senhor*, e *não para homens*" (Colossenses 3.23, grifo meu) – e a expressão "não para homens" inclui seu marido. Você é chamada para dedicar o tempo e o esforço necessários para ser a esposa segundo os padrões de Deus, "sem esperar nenhuma paga" (Lucas 6.35). Você é chamada para amar e servir e trabalhar e cuidar e levantar cedo e permanecer acordada e fazer o bem todos os dias de sua vida (e... e... e...!), porque é isso que o nosso Deus onisciente e amoroso requer de você. Sua missão é crer na retidão dos caminhos dele e obedecer a seus planos de beleza, confiando nele para o tipo de bênção que Ele escolheu conceder-lhe – mesmo que essa bênção não inclua elogios de seu marido. Não permita que ninguém (inclusive seu marido) nem alguma coisa (inclusive falta de elogios) interfiram no plano de Deus para que você seja uma mulher bela e piedosa!

Finalmente, caso você esteja questionando: "E se eu não tiver marido?", por favor, não se esqueça de que a ênfase ao longo deste livro está nas virtudes, no caráter piedoso, em quem você *é* – e não se você é ou não casada, se tem filhos ou não. Deus deseja que todas as suas mulheres sejam belamente virtuosas a seus olhos – e *você* está incluída entre elas!

Um convite à beleza

Estamos chegando ao topo da montanha de virtudes que começamos a escalar muitos capítulos atrás! Mas, antes de dar um ou dois passos finais, ore neste momento e acompanhe-me nesta lista para ser bela:

Como mulher – Você coloca o poder de sua mente e de seu corpo para trabalhar a serviço de seu marido, de sua família e de seu lar? Ao mesmo tempo, você tem o firme propósito de trabalhar com dignidade e *ser* também uma mulher digna, um exemplo de caráter sob toda e qualquer circunstância?

Como dona-de-casa – Você supre as necessidades da casa? Supervisiona com cuidado e atenção tudo o que faz parte de seu lar?

Como mãe – Você está criando seus filhos para amar e servir ao Senhor e, conseqüentemente, concedendo paz de espírito a seu marido e fortalecendo a reputação dele na comunidade?

Como esposa – Seu comportamento enobrece o nome e a reputação de seu marido? Você contribui positivamente para o bem-estar financeiro dele por meio de uma cuidadosa administração das finanças da casa? Seu marido confia em você e em sua sinceridade? Suas palavras o animam e o fortalecem para que ele enfrente as situações difíceis da vida? Responda honestamente: seu marido encontrou em você uma mulher virtuosa, uma mulher bela aos olhos de Deus? Ore para que isso seja verdade – e continue procurando ser a melhor esposa do mundo!

23

Um Espírito Reverente

Sua Fé

"Enganosa é a graça e vã a formosura, mas
a mulher que teme ao Senhor, essa será louvada."
Provérbios 31.30

Conseguimos! Chegamos ao pináculo da virtude, ao objetivo da escalada que iniciamos juntas no Capítulo 1 – e percorremos um longo caminho! Agora, *finalmente*, neste livro sobre a beleza, alcançamos o ponto culminante e lá descobrimos um versículo que contém a palavra "formosura" [ou "beleza"]!

Mas espere um minuto! O que esse versículo diz sobre a beleza não é o que esperamos! Escalamos a montanha até chegar ao ápice da beleza santificada, e agora percebemos que essa beleza *não* é a que aprendemos durante a vida toda!

Aqui, a mensagem de Provérbios 31 torna-se bem nítida, e vemos a verdade de Deus mais uma vez: esse rico capítulo do Antigo Testamento, capaz de transformar vidas, abrange tudo o que é lindo aos olhos de *Deus* – não aos olhos do homem, não aos olhos do mundo, não aos olhos da mídia, não aos olhos de um artista, mas aos olhos de *Deus*! Conforme vimos desde o início deste estudo sobre a beleza, Deus declara: "Porque os meus pensamentos não são os vossos pensamentos, nem os vossos caminhos os meus caminhos [...] os meus caminhos [são] mais altos do que os vossos caminhos, e os meus pensamentos [são] mais altos do que os vossos pensamentos" (Isaías 55.8-9). E aqui temos os pensamentos específicos de Deus sobre a beleza: "Enganosa é a graça e vã a formosura, mas a mulher que teme ao Senhor, essa será louvada" (Provérbios 31.30).

Por certo, foram muito instrutivas as lições que o jovem Lemuel ouviu de sua mãe ao longo desse alfabeto da verdadeira beleza feminina. A essa altura, ele já conhece o tipo de mulher que deve procurar para ser sua companheira – e você e eu sabemos quais são os padrões de Deus para nossa vida. Agora, sua mãe, que tanto se preocupa com o futuro do filho e sabe o que é mais importante nesta vida, volta a falar. Ouça o que ela tem a dizer exatamente sobre o que é – e o que não é – belo em uma mulher.

Graça e formosura, vaidades gêmeas

"Enganosa é a graça", declara Provérbios 31.30. Advertindo o filho (e todos os que prestam atenção à sua sabedoria), nossa mestra exclama: "Não deseje o que é sedutor! Não caia na armadilha da sedução! A sedução é enganosa! A sedução é passageira! A sedução é volúvel! Em resumo, a sedução é uma das ilusões da vida, uma das vaidades da vida! A sedução pode exercer atração e fascínio, porém jamais gerará felicidade ou será útil na vida. Talvez no fundo da mente dessa mãe preocupada estivesse o provérbio que condena "adquirir tesouro com língua falsa [sedutora, enganosa]" (Provérbios 21.6).

"E vã [é] a formosura", ela complementa (Provérbios 31.30). Ainda fazendo soar o alarme, nossa mestra prossegue: "Não se deixe enganar pelas aparências! Lembre-se de que a beleza é apenas um invólucro. A beleza é passageira, desaparece como vapor!" Embora todos apreciem a graciosidade das formas, a beleza física é transitória e temporária. Ela pode ser ilusória e perigosa. E, da mesma forma que a graça, sua irmã gêmea, a beleza não garante uma vida feliz. A beleza, em si, também não resolve os problemas básicos da vida.

Amor pelo Senhor

Ao longo deste livro sobre a beleza, você e eu analisamos atentamente as qualidades de caráter da mulher de Provérbios 31 e as numerosas atividades que fazem parte de sua vida atarefada. Olhamos para ela da mesma maneira que para um relógio, vendo o movimento de seus ponteiros [suas mãos] e aguardando sua mensagem para nós. Mas agora, minha querida amiga, obtivemos permissão parar ver o interior dela, que a faz comportar-se dessa maneira. De onde vem o amor que ela sente? Qual é a origem de seu altruísmo... de sua misericórdia... de sua extraordinária energia? O que a guia, dando-lhe propósito e definição para seus objetivos? O que leva essa mulher maravilhosa a ser uma rocha sólida? Onde ela encontra motivação para dedicar-se de maneira tão nobre durante a vida inteira? O que a torna tão bela aos olhos de Deus?

A resposta está aqui em Provérbios 31.30, nosso último passo para compreender a beleza do ponto de vista de Deus. O segredo todo dessa mulher bela aos olhos de Deus é o *próprio Deus*! Provérbios 31.30 é muito específico: "A mulher que teme ao Senhor, essa será louvada." Ora, a bela mulher de Deus é uma mulher que o ama, que "teme ao Senhor" (Provérbios 31.30)! Ele considera maravilhoso o fato de que ela o leva a sério e obedece à sua Palavra com seriedade.

O que significa exatamente "temer" ao Senhor? Ouço freqüentemente essa pergunta. Em poucas palavras, a mulher que teme ao Senhor é uma mulher cujo comprometimento espiritual com Deus é total e irrestrito.

Como você pode aperfeiçoar seu comprometimento com Deus e tornar-se mais bela aos olhos dele? Para ser bela aos olhos de Deus, é de suma importância que você se concentre em seu caráter, não em sua aparência externa. Em vez de preocupar-se com as roupas que usa, com o estilo de cabelo que escolheu, com o carro que dirige ou com a casa que decorou, você deve ter a preocupação primordial de demonstrar o caráter piedoso que Deus requer quando você vive na presença dele. Você deve buscar elogios de Deus, não dos homens. Deve afastar-se das vaidades transitórias deste mundo e buscar a beleza eterna de Deus. É essa beleza – não a beleza do rosto ou das formas – que deve atrair o interesse da mulher que teme ao Senhor. É o temor ao Senhor que santifica todas as outras áreas de sua vida e exibe a majestade de Deus que se encontra no mais íntimo de seu ser.

Que diferença faz ter um comprometimento profundo com o Senhor? Em palavras simples, ele exerce influência sobre tudo o que você e eu fazemos! Assim como o sol irradia sua luz, a presença do Senhor brilha por meio de tudo o que você faz e na dedicação de seu trabalho, iluminando tudo o que você toca. Assim como as fontes e as cachoeiras são alimentadas por uma nascente, seu poder e seus propósitos renovados emanam de um profundo comprometimento com Deus. Quando seu coração confia em Deus, você revigora a vida dos que a cercam com dedicação e com ações altruístas. Seu supremo amor a Deus transmite energia a sua conduta, seu caráter e seu amor para com os outros. Sua fé em Deus produz, anima e adorna a beleza de sua estatura moral e da eficiência de sua vida.

Como ser bela

A coroa de louvor de Deus está reservada para a mulher que acredita nele e anda fielmente em seus caminhos. Afinal, "O temor do Senhor é o princípio do saber" (Provérbios 1.7), e vimos vezes e mais vezes que a mulher bela aos olhos de Deus é sábia e bela no espírito. A boa notícia é que você e eu podemos experimentar esse tipo de beleza – a beleza que Deus requer de nós. Como?

1. Dedicando mais amor a Cristo – No Novo Testamento, a mulher que é bela aos olhos de Deus tem um relacionamento pessoal com Ele por meio de seu Filho, Jesus Cristo. É por isso que, ao longo deste livro, eu me referi reiteradas vezes a Colossenses 3.23: "Tudo quanto fizerdes, fazei-o de todo o coração, *como para o Senhor*, e não para homens" (grifo meu). Quando Jesus Cristo governa seu coração e sua vida, tudo o que você faz se torna um ato de adoração. É esse amor por Cristo que a torna verdadeiramente bela aos olhos de Deus!

Você e eu demonstramos temor ao Senhor por meio de nosso relacionamento com o Filho de Deus, Jesus Cristo. Portanto, a pergunta mais importante para você (e para mim também) é: "Você aceita Jesus Cristo como seu Salvador e Senhor?" Sua fé nele é a chave para ser bela aos olhos de Deus.

2. Programando tempo com o Senhor – Qualquer pessoa que não esteja plenamente convencida da necessidade de buscar ao Senhor com regularidade, em geral não faz isso! Eu espero que, a essa altura de nossa escalada, você tenha compreendido a necessidade de buscar ao Senhor, caso esteja disposta a realizar a obra para a qual Ele a chamou.

E, por falar em passar tempo com o Senhor, eu acabo de consultar minha agenda para esta semana. Ela inclui eventos sugestivos, tais como ida ao dentista para limpeza de dentes e recebimento de água potável em casa. Se você e eu programamos eventos rotineiros da vida como esses, por que também não programamos tempo para estar com o Senhor?

Dê uma olhada em sua agenda. Para quando você marcou encontros com o Senhor? Você planejou passar algum tempo extra com Ele? Sua fé é alimentada e fortalecida quando você passa doces momentos lendo a Bíblia e orando silenciosamente. Você leu muitas coisas neste livro sobre administração do tempo, organização, objetivos e programação. Agora, ponha em prática essas lições para ter certeza de que dedica tempo ao Senhor – um tempo que proporciona vida, que modifica a vida e que embeleza a vida!

Por ser uma mulher que se refere a Jesus como seu Senhor, você tem o privilégio de contemplar a beleza do Senhor (Salmo 27.4) e de adorá-lo na beleza da sua santidade (Salmo 29.2). Dessa forma, a beleza dele torna-se sua, e a vida que você leva traz evidência da marca de uma mulher que teme ao Senhor.

3. Aceitando o plano de Deus – Provérbios 31, um poema de louvor dedicado à mulher virtuosa, expõe o plano de Deus para a sua vida e para a minha. Revisando o que dissemos, Deus a chama para ser uma mulher de caráter, uma esposa fervorosa (se for casada) e mãe dedicada, uma dona-de-casa consagrada e uma mulher confiante, por causa de seu reverente temor ao Senhor. Em vez de resistir ao perfeito plano de Deus, eu a convido a aceitá-lo, a gloriar-se nele e a deleitar-se em cada aspecto, a sobrepujar-se para ele e, assim, sentir sua beleza. A mulher que teme ao Senhor é aquela que obedece a Deus e leva a sério sua Palavra e seu plano. Se você aceitar de todo o coração o lindo plano de Deus para sua vida, como fez a mulher de Provérbios 31, será revestida – da mesma forma que ela – de força e de dignidade, independentemente dos obstáculos que surgirem em seu caminho.

4. Fazendo o melhor possível – A mulher de Provérbios 31 é forte e fisicamente bem preparada. Não sabemos como era o seu aspecto exterior, mas temos a certeza de que ela fazia o melhor possível. Sabemos também que ela se vestia com trajes de púrpura dignos de uma rainha, mas, conhecendo suas magníficas virtudes, podemos ter certeza de que ela não se preocupava em demasia com a aparência.

Ela honrava o nome do marido. Evidentemente, ela ofereceu a você e a mim uma boa diretriz: faça o que tiver de ser feito para ter boa saúde e estar bem preparada fisicamente para honrar o nome de sua família.

Como você sabe se está preocupada demais com a beleza física? Vou deixar que duas mulheres de nosso tempo, belas aos olhos de Deus, respondam a essa difícil pergunta.

A autora Anne Ortlund chegou a esta conclusão: "Notei que 22 versículos [de Provérbios 31] descrevem a bondade, a vida piedosa, o trabalho árduo e o carinho dedicado aos outros – e apenas um dos 22 versículos [o 22] descreve sua aparência física [...] Ao analisar essa proporção de Provérbios 31 [...] eu orei: 'Ó Pai, quero dedicar 1/22 de meu tempo para ter a mais bela aparência exterior que eu puder; e quero dedicar o restante do tempo, 21/22 de minha vida, para tornar-me sábia, bondosa, piedosa, trabalhadora e tudo o mais.'"[1]

Quando outra mulher que conheço orou suplicando um coração temente ao Senhor, ela decidiu assumir o compromisso de oferecer diariamente o "dízimo do tempo" ao Senhor. Em outras palavras, ela reserva um décimo de suas horas de vigília para orar e estudar a Bíblia.

Descubra uma fórmula para manter o equilíbrio entre o tempo que você passa na presença de Deus buscando um coração que seja agradável a Ele e as exigências da vida diária. Lembre-se sempre de que o tempo, a energia e a atenção que você dispensa a seu relacionamento com o Senhor é o responsável pela *verdadeira beleza* – a beleza interior de uma vida piedosa!

Um convite à beleza

Caso você ainda não saiba como ter um relacionamento com Jesus Cristo, eu a convido a começar hoje mesmo a comportar-se de maneira a ter uma vida que reflita a beleza verdadeira, a beleza interior e eterna! Você poderá dar o primeiro passo para crescer em santidade e beleza neste momento, repetindo com sinceridade as palavras desta oração:

> Jesus, sei que sou pecadora, mas quero deixar meus pecados para trás e seguir-te. Creio que morreste por meus pecados e que, com tua ressurreição, venceste o poder do pecado e da morte. Desejo aceitar-te como meu Salvador pessoal. Entra na minha vida, Senhor Jesus, e ajuda-me a obedecer-te de agora em diante.

Estou orando por você neste momento! A verdadeira beleza – na verdade, toda e qualquer beleza – principia em Jesus Cristo!

24

A Colheita de Uma Vida Inteira

Sua Recompensa

"Dai-lhe do fruto das suas mãos, e de público
a louvarão as suas obras."
Provérbios 31.31

Há um "provérbio" moderno que resume a caminhada da vida cristã: "Para chegar ao alto, é preciso antes descer!" Tenha esse provérbio em mente enquanto reflete sobre o último versículo de Provérbios 31 – o versículo que encerra o livro de Provérbios. Acho que as palavras acima descrevem exatamente a vida de nossa bela dama, a mulher de Provérbios 31. Para chegar ao alto, antes ela desceu.

A mulher que é bela aos olhos de Deus, a mulher cuja vida e trabalho estamos analisando nesses 22 versículos e nos 24 capítulos deste livro, escolheu viver à sombra e ostentar o fruto que se desenvolve somente na sombra. Oculta entre as quatro paredes de sua casa, ela oferece o que tem de melhor para glorificar a Deus como uma mulher que teme ao Senhor (Provérbios 31.30). Oh, ela (igual a você) também trabalha fora de casa, mas dentro do lar nenhum serviço ou esforço é insignificante demais para desmerecer seu excelente empenho. Agora, vemos as recompensas que aguardam aquela que sempre se contentou em servir silenciosamente: um coro de louvor é entoado alto e em uníssono, homenageando a mulher que preferiu o caminho da humildade.

O fruto de suas mãos

Quando a mãe do jovem Lemuel termina sua preleção, ela olha firme dentro dos olhos do filho e profere mais uma palavra de instrução: "Dai-lhe do fruto das suas mãos" (Provérbios 31.31). Da mesma forma que os admiradores premiam os vencedores por seus feitos e proezas, nós também devemos premiar a bela mulher de Provérbios. Transportado para a linguagem de hoje, Provérbios 31.31 poderia ser compreendido desta maneira: "Dêem-lhe crédito por suas conquistas! Dêem-lhe tudo o que ela ganhou! Dêem-lhe tudo o que ela conquistou com seu trabalho diligente! Dêem-lhe o fruto de suas mãos, a colheita de uma vida inteira de amor! Dêem-lhe o lucro que ela auferiu, os bens pelos quais tanto lutou, a reputação que soube manter, o casamento que alimentou, a casa que edificou, a vida familiar que cultivou, o futuro pelo qual trabalhou! Dêem-lhe tudo!" E, minha querida e bela amiga, você e eu também somos exortadas a proferir essas palavras finais, oferecer um prêmio, um cântico de louvor, à mulher que é bela aos olhos de Deus.

E essa exortação é séria. Muitas sentem inveja dessa mulher bela aos olhos de Deus. Elas a desdenham, chegando até a menosprezá-la e a ridicularizá-la! Já a ouvi ser chamada de tímida, sem graça, uma simples dona-de-casa, uma mulher do tempo das cavernas, uma escrava. Algumas mulheres dizem: "Vejam só quanto talento!

É uma pena ser desperdiçado em casa! Imagine como ela poderia ser famosa no mundo inteiro por suas habilidades! Coitada! Que desperdício!"

Esse tipo de pensamento não chega à essência da mensagem que Deus (e essa bela mulher) oferece! Um estudioso conclui: "Esse versículo é o encerramento perfeito da mais notável exposição do Antigo Testamento sobre a posição das mulheres, exaltando [...] suas funções dentro de casa como esposa, mãe e mulher, e demonstrando que o contentamento e a felicidade no círculo doméstico dependem sobremaneira da previsão e da supervisão dessa rainha do lar."[1]

Longe de desejar que tenhamos piedade da mulher de Provérbios 31, Deus nos exorta a louvá-la, a admirá-la e a segui-la – na verdade, quer que sejamos iguais a ela! Ora, por ser uma mulher que teme ao Senhor, *ela* será louvada (Provérbios 31.29)!

Louvada em público

Provérbios 31.31 exulta: "E de público a louvarão as suas obras." Essas palavras formam um encadeamento interessante ao que foi dito antes em Provérbios 31. Você se lembra do marido da bela mulher aos olhos de Deus e da importante posição que ele ocupava nos portões da cidade como jurisconsulto e líder (v. 23)? Bem, agora vemos que sua esposa também ocupava um lugar de honra nos portões da cidade. As pessoas falavam dela em público. Ela era louvada por seus trabalhos – que, por si sós, a exaltavam. Como é admirável e estimulante ver que, onde os homens se reuniam, onde os líderes da comunidade se congregavam solenemente, o povo cantava louvores a ela e lhe prestava a mais alta homenagem!

Vimos seu trabalho altruísta, realizado nos bastidores, e seus esforços quase despercebidos, mas tomamos conhecimento aqui que seus atos são publicamente reconhecidos e aclamados. Assim como seu marido, ela desfruta de boa reputação e foi colocada no pedestal da comunidade. Apesar de todas suas atividades serem restritas ao lar, o reconhecimento pela vital contribuição que ela prestava à comunidade é oferecido publicamente nos portões da cidade. Uma pessoa piedosa disse: "Muito daquilo [...] que as mulheres fazem constitui trabalho de apoio, mas imaginem o que aconteceria a um construtor se as colunas de sustentação fossem retiradas!"[2] Sim, as contribuições que a mulher de Provérbios fez ao marido, aos filhos, à casa, à comunidade eram necessárias e dignas de louvor!

A mãe do jovem Lemuel disse: "E de público a louvarão as suas *obras*" (grifo meu). Mesmo que todas as vozes se calassem, mesmo que não fosse proferida uma palavra sequer de louvor, a mulher bela aos olhos de Deus receberia a honra que lhe era devida: suas obras são um monumento ao nome dela. As obras de suas mãos e o fruto de seu trabalho encontraram voz e proclamam seu louvor! Nosso poema declara anteriormente: "A mulher que teme ao Senhor, essa será louvada" (Provérbios 31.29) – sob quaisquer circunstâncias!

Um convite à beleza

Ó que alegria! Que glória! Que maravilhosa colheita de louvor! Todas as vozes louvaram essa mulher bela aos olhos de Deus! A voz de seus filhos entoou-lhe louvores (v. 28). A voz de seu marido entoou-lhe louvores (v. 28, 29, 31 – a voz dele ressoou nos portões da cidade!). A voz de Deus entoou-lhe louvores (v. 30 – Ele a louvou porque ela temia ao Senhor!).[3] A voz de outras pessoas entoou-lhe louvores (v. 31 – em público). Até mesmo a voz de suas obras entoou-lhe louvores (v. 31). Eu, Elizabeth George, também entôo louvores à nossa amiga de Provérbios 31. Na verdade, é o que tenho feito ao longo desses 24 capítulos! A única voz que não é ouvida é a dela própria. Ela vive sabiamente outro provérbio: "Seja outro que te louve, e não a tua boca" (Provérbios 27.2).

Mas existe outra voz que eu desejo ouvir louvando essa bela mulher de Deus – a sua voz, minha amiga! Estou muito interessada em você e em seu louvor, porque a majestosa beleza da mulher de Provérbios 31 não é valorizada em nossa cultura. Nosso inimigo, Satanás, e o mundo pecador no qual vivemos rotulam essa beleza como indesejável, insignificante e até mesmo inútil. Oh, como eles estão errados! Essa mulher de Provérbios 31, querida amiga e seguidora de Deus, personifica a verdadeira beleza: ela exemplifica tudo o que é belo aos olhos de Deus.

Portanto, eu a conclamo a entoar louvores a ela! Seu louvor indica que você reconhece o esplendor de tudo o que é belo aos olhos de Deus. E a forma mais bela de louvor que você poderá oferecer é seguir os passos dessa mulher. Meu coração se alegrará sabendo que você, minha companheira de longa jornada, está a caminho de tornar-se bela aos olhos de Deus!

Você não gostaria de curvar a cabeça agora e louvar também a Deus por essa bela mulher? Com certeza, ela é uma das dádivas preciosas de Deus para você. Ela foi descrita em Provérbios 31 para inspirá-la, instruí-la e animá-la quando você tropeçar e cair, quando sua visão estiver turva ou quando sentir que suas prioridades estão mudando. Uma nova visita a essa mulher bela aos olhos de Deus renovará sua visão, restaurará suas forças e reacenderá seu amor pelo Senhor e pelo compromisso que você assumiu de seguir os planos que Ele tem para você – de ser bela aos olhos de Deus!

Guia de Estudos

Capítulo 1: Um Tesouro Raro – Seu Caráter

- Leia Provérbios 31.10-31, o retrato feito por Deus da mulher bela aos olhos dele. Anote os traços de caráter dela que você enxergar. Por que você acha que esse retrato está na Bíblia?
- A palavra "virtuosa" (digna, excelente, nobre, capaz) é usada apenas quatro vezes na Bíblia para descrever a mulher. Leia Rute 3.11, Provérbios 12.4, Provérbios 31.10 e Provérbios 31.29 e observe por que cada uma dessas mulheres merece essa descrição.
- Reflita sobre sua vida por alguns instantes. Quando você necessita de poder mental para suportar o sofrimento? E do poder do corpo? O que você pode fazer para se fortalecer nessas duas áreas? O que pode fazer hoje? Ore sobre isso agora – e dê o primeiro passo!

Capítulo 2: Uma Jóia Cintilante – Seu Valor

- Pense em uma pedra preciosa ou em uma jóia que você possui ou conhece. Por que essa peça a impressiona? Qual o motivo de seu valor?
- Agora pense em você como jóia preciosa de Deus. Você acha que habilidades práticas, tais como cuidar da casa, administrar o tempo e administrar o dinheiro aumentam seu valor perante as pessoas de sua casa, de sua igreja ou de seu trabalho? Como?
- Observe todas as habilidades referentes ao cuidado da casa, administração do tempo e do dinheiro descritas em Provérbios 31.10-31.
- Por que a estabilidade emocional aumenta seu valor perante seu marido, filhos, pais, amigos e colegas de trabalho? Examine Provérbios 14.30, Provérbios 19.2b, Provérbios 19.11 e Provérbios 25.28 e relacione as qualidades de caráter incenti-

vadas em cada passagem. O que você pode fazer para incluir essas qualidades no dia-a-dia? Especifique.

Capítulo 3: Uma Rocha Sólida – Sua Lealdade

- Lealdade é o primeiro traço de caráter mencionado em Provérbios 31.10-31. Reflita sobre sua lealdade nas áreas abaixo. Em que áreas você é firme? Em qual delas está melhorando? Em qual delas você precisa trabalhar um pouco mais?

Dinheiro	Filhos
Lar	Reputação
Fidelidade	Emoções
Felicidade	Sabedoria
Conduta	Amor

- Leia Gênesis 3.1-6, o relato do fracasso de Eva para ser uma mulher confiável e leal. Como ela falhou com seu marido? (Veja também Gênesis 2.17.) Como ela falhou com Deus?
- Leia os comentários posteriores da Palavra de Deus sobre a queda de Eva em 2 Coríntios 11.3 e 1 Timóteo 2.14.
- A que conclusões você chega a respeito da importância da lealdade?
- Escreva uma oração suplicando a Deus que a ajude a tornar-se uma pessoa confiável.

Capítulo 4: Um Troféu Valioso – Sua Contribuição

- Enquanto você reflete sobre a poderosa contribuição que pode dar às suas finanças – pessoais e/ou familiares –, analise estas instruções que a Bíblia nos oferece.

Provérbios 10.2	Provérbios 10.4
Provérbios 13.11	Provérbios 14.23
Provérbios 21.6	Provérbios 21.17
Provérbios 27.23-24	Provérbios 28.19

- Reserve alguns minutos para ler atentamente, em atitude de oração, Provérbios 31.10-31. Escreva uma anotação sobre como a virtude da administração das finanças é envolvida em cada versículo.

- De acordo com Provérbios 22.4, quais são as riquezas supremas que você deve ter no coração?

Capítulo 5: Uma Fonte de Bondade – Sua Missão

- Como cristãs, somos exortadas a seguir os passos de Jesus e fazer o bem a todos (veja Provérbios 3. 27 e Gálatas 6.10). Que perspectiva Colossenses 3.23 nos oferece sobre este difícil mandamento de fazer o bem? Como essa mesma verdade poderá ajudá-la a fazer o bem dentro de um relacionamento difícil que você atravessa neste momento?
- Por quanto tempo a mulher de Provérbios 31 pôs em prática o que está descrito em Provérbios 31.12? Que mudanças essa atitude provocou em seu casamento? O que você vai fazer hoje para começar a fazer o bem "todos os dias da sua vida"? Especifique.
- Analise mais uma vez a lista das mulheres da Bíblia que deixaram de ser uma fonte de bondade a seus maridos, começando por Eva. Que advertências essas mulheres lhe oferecem?
- Tente completar o alfabeto de bondade ou, melhor ainda, escreva seu próprio alfabeto de bondade – e comece a praticá-lo.

Capítulo 6 – Uma **Fonte de Alegria – Seu Coração**

- Qual a atitude principal em relação ao trabalho que Provérbios 31.13 enfatiza? Leia também Eclesiastes 9.10. Por que a forma como você age é importante para sua vida? E para seus familiares e colegas de trabalho? E para sua casa? E para o ambiente no lar? Que mensagem Deus tem para você em Provérbios 15.15 e Provérbios 18.14?
- Faça um plano específico sobre a maneira de pôr em prática na vida diária essas sugestões de "Como ser bela".

Ore diariamente
Repita passagens bíblicas que a incentivem a ter alegria no trabalho

Trabalhe como se estivesse trabalhando para o Senhor
Faça suas tarefas com energia, criatividade e alegria
Olhe para os benefícios de tudo o que está fazendo e vivendo no dia-a-dia
Faça uma pausa e descanse
Tome cuidado com o que você come
Valorize cada dia

Capítulo 7: Um Espírito Empreendedor – Sua Provisão

- Pare por alguns instantes para ler Provérbios 9.1-6. Enquanto você encosta o rosto contra a vidraça e observa pela janela da Palavra de Deus, descreva a cena que vê na casa dessa mulher sábia – sua comida, sua mesa, sua casa, seu trabalho, seus objetivos e os resultados. Quais são as características principais de seu trabalho como dona-de-casa?
- Agora, leia Provérbios 9.13-18. O que você vê através da vidraça da casa dessa mulher – sua comida, sua mesa, seu lar, seu trabalho, seus objetivos e os resultados? Em que a arrumação de sua casa era diferente da cena descrita em Provérbios 9.1-6?
- Descreva o que as outras pessoas (principalmente os membros de sua família) vêem quando olham através da vidraça de sua casa. Como seu amor é evidenciado nos elementos básicos, tais como o alimento que você prepara e serve? E na maneira como você arruma a mesa? E na maneira como você dispõe os móveis em sua casa? E nos toques pessoais de beleza que você inclui na decoração?
- O que a impressiona sobre a provisão descrita em 1 Reis 10.1-10?
- O que você vai fazer para manifestar amor – com criatividade e toques de beleza – enquanto estiver suprindo os elementos básicos de subsistência para sua família? Especifique e comece a pôr sua lista em prática hoje mesmo.

Capítulo 8: Um Exemplo para a Família – Sua Disciplina

Provérbios 31.15 relaciona três disciplinas essenciais que garantem um lar belamente administrado.

- *Levantar cedo*: Leia Gênesis 19.27, Marcos 1.35, Provérbios 20.13 e Provérbios 16.3. Relacione alguns benefícios de levantar cedo. Qual seria a hora ideal e razoável para você? Que providências você vai tomar para desenvolver esta disciplina difícil, porém valiosa? Escreva seu plano.
- *Preparar as refeições*: Relacione alguns benefícios do preparo das refeições. Que advertências Provérbios 15.17 e Provérbios 17.1 apresentam acerca da hora da refeição? Se você ainda não tem um cardápio, planeje-o para uma semana. Verifique se os ingredientes estão disponíveis e dê "mantimento à sua casa". Seus filhos se levantarão e lhe chamarão ditosa (Provérbios 31.28)!
- *Planejar o dia*: Relacione alguns benefícios de planejar o dia na véspera. Depois, faça um plano para o restante do dia. Amanhã de manhã (logo cedo) planeje a próxima semana. Não se esqueça de dedicar uma parte do trabalho a seus filhos!
- O que Deus diz em Provérbios 21.5 sobre a disciplina de planejar?

Capítulo 9: Uma Propriedade Tão Sonhada – Sua Visão

- Leia atentamente os três passos para transformar um de seus sonhos em realidade.

Passo 1: Exame minucioso

– Que instrução Provérbios 19.14 oferece?
– De acordo com Provérbios 15.22 e Provérbios 12.15, qual deve ser a sua atitude em relação a pedir conselhos?
– Faça uma lista das pessoas de seu relacionamento a quem você pode – e deve – recomendar que busquem conselho com alguém.
– De acordo com Provérbios 19.21, em que sentido você deve orar?

– Qual é o papel da espera no que se refere à tomada de decisões? Leia Provérbios 21.5 e Provérbios 19.2.

Passo 2: Aquisição

– Que mensagem prática referente à administração de sua propriedade você encontra em Provérbios 14.1 e Provérbios 31.27?

Passo 3: Renovação

– Leia a história de Acsa, filha de Calebe, em Josué 15.13-19. O que ela fez para renovar sua propriedade? Por que ela foi capaz de conseguir isso? Por que você acha que ela fez aqueles pedidos?

- Escreva, em uma frase ou duas, os sonhos que você tem e ore por eles, pedindo ao Senhor que lhe mostre o caminho que você deve seguir.

Capítulo 10: Uma Atitude Animada – Seu Trabalho

- Escreva nossa definição elaborada sobre "virtuosa". (Veja o Capítulo 1.)
- O que Provérbios 14.23a e Provérbios 14.23b dizem sobre seu trabalho?
- Por que Provérbios 14.1 a motiva a trabalhar com mais vigor?
- O que Provérbios 19.15 e 24 ensinam sobre a disciplina do trabalho?
- Como a verdade contida no Salmo 118.24 pode ajudá-la a ter uma atitude bonita em relação ao trabalho?
- Converse com algum conhecido que seja perito em administrar o tempo e extraia algumas sugestões. Durante esta semana, pegue emprestado ou compre um livro sobre administração de tempo ou procure-o em uma biblioteca.

Capítulo 11: Um Sabor de Sucesso – Sua Confiança

- Leia Provérbios 31.18 e Salmo 34.8. Dentre as muitas coisas que você faz, o que as outras pessoas consideram "boas"?
- Leia Tito 2.3-4 e faça uma lista dos relacionamentos mais importantes para uma mulher casada. O que você pode fazer para cuidar dessas pessoas antes de aventurar-se em outros projetos criativos?
- Que motivos para confiar você encontra em Filipenses 3.13-14? E em Eclesiastes 9.10?
- Escreva uma oração com base em Provérbios 16.3.
- Reserve um tempo para orar por sua família. Peça a Deus que lhe dê idéias novas sobre como amá-los e servi-los. Peça também a Ele que lhe dê força e ânimo para ter sonhos e trabalhos criativos.

Capítulo 12: Um Pequeno Trabalho Noturno – Sua Diligência

- Leia Provérbios 31.18 e 19. O que a bela mulher de Deus faz depois que o dia escurece? O que você costuma fazer?
- Avalie suas noites com base no que você está aprendendo em Provérbios 31.10-31 sobre diligência e empenho.
- Planeje suas noites. Elabore uma lista de projetos que você poderá fazer à noite. Que motivos para esses projetos você encontra em Provérbios 10.4?
- Prepare-se para trabalhar à noite. Que projeto você vai pôr em prática? O que você pode preparar e organizar?
- Faça bom uso de suas noites. Leia novamente Provérbios 14.23. Que incentivos para pôr seu plano em ação e levá-lo adiante você encontra nessas palavras sábias?
- Use a mente nos trabalhos noturnos. Avalie como você passa o tempo livre (dirigindo o carro, debaixo do chuveiro, em filas, etc.). Por que é importante fazer uso correto da mente? Leia Provérbios 23.7 e Filipenses 4.8.
- Nesta semana, faça um esforço para usar suas noites de maneira construtiva. Vendo os benefícios disso para si e para sua família, repita o processo na semana seguinte – e continue pelo resto da vida!

Capítulo 13: A Mão Prestativa – Sua Misericórdia

- Leia mais uma vez Provérbios 31.20. Em que atividades a bela mulher de Deus está envolvida aqui?
- Leia Provérbios 3.27 e faça uma lista de todas as boas ações que você pode fazer – ações que suas mãos tenham o poder de fazê-las e ações que você também tenha optado por não fazê-las.
- Revise as seguintes passagens da Bíblia sobre um coração misericordioso:

  – Deuteronômio 15.7-8 – Miquéias 6.8
  – Provérbios 11.25 – Provérbios 19.17
  – Provérbios 22.9

- Escolha uma destas mulheres e descreva em poucas palavras seu ato de misericórdia:

  – Abigail (1 Samuel 25)
  – A viúva de Sarepta (1 Reis 17)
  – A mulher sunamita (2 Reis 4)
  – Dorcas (Atos 9)

A que conclusões você chegou sobre a generosidade?

- Avalie se você está demonstrando amor. Passe alguns momentos em oração, pedindo a Deus que aumente seu amor e lhe mostre outros caminhos para praticá-lo.

Capítulo 14: Uma Bênção Dupla – Sua Preparação

- Leia novamente Provérbios 31.21. O que esse versículo diz a respeito da mulher de Provérbios 31? O que ele diz de sua casa?
- Releia a história da rainha de Sabá (1 Reis 10.1-8). O que a impressionou a respeito da casa do rei Salomão? Com o que você se impressionou?

- Leia Provérbios 21.5. O que prova que o rei Salomão viveu de acordo com sua sabedoria?
- Em Êxodo 35.25, 26 e 29, Deus dá algumas instruções sobre como edificar o tabernáculo de adoração. O que esses versículos sugerem sobre a importância da beleza criativa para Deus?
- O que você necessita fazer para incorporar a preparação e o cuidado de seu lar para deixá-lo mais bonito?

Capítulo 15: Uma Tapeçaria Belíssima – Seu Trabalho com as Mãos

- Leia Provérbios 31.22 para ver o que mais a bela mulher de Deus faz em casa. Que preparativos e toques de beleza nós lemos aqui?
- Volte a ler Êxodo 35.25-29. Que outros detalhes de beleza estão incluídos na cena? Descreva a seguir as roupas de cama de Provérbios 7.16.
- Às vezes, nossa situação financeira exige que aguardemos um pouco antes de começar a reformar a casa. Que tipo de encorajamento Provérbios 19.2b oferece?
- O que as passagens seguintes revelam sobre os padrões de beleza de Deus?

1 Timóteo 2.9,10
Tito 2.5
1 Pedro 3.3,4

- De acordo com o Salmo 19.1, que evidência vemos da obra de Deus? Curve a cabeça e agradeça a Deus o fato de você ter sido criada à sua imagem (Gênesis 1.27) e possuir um pouco de sua criatividade.

Capítulo 16: Um Homem de Influência – Seu Marido

- Depois de reler Provérbios 31.23, leia as passagens relacionadas abaixo, para você se lembrar do plano de Deus para o casamento. Faça anotações durante a leitura:

– Gênesis 2.18
– Efésios 5.22-24,33
– Tito 2.3-5
– Gênesis 3.16
– Colossenses 3.18
– 1 Pedro 3.1-6

- Que exortações para melhorar sua dedicação a seu marido (ou a qualquer outra pessoa) você encontra nestes versículos?

– Provérbios 3.27
– Provérbios 12.25

- O que você pode fazer em cada uma destas áreas para ajudar e apoiar seu marido?

– Provérbios 31.12 – a prática de fazer o bem
– Provérbios 31.15 – preparo das refeições
– Provérbios 31.15 – boa administração da casa
– Provérbios 31.21 – provisão de roupas
– Provérbios 31.26 – conselhos sábios e palavras bondosas
– Provérbios 31.27 – zelo pelas pessoas e pela casa

- Concentre-se hoje em proferir uma palavra de elogio e de incentivo a seu marido. Esse é o primeiro passo para fazer disso um hábito diário!

Capítulo 17: Uma Profissional Criativa – Seu Empenho

- Releia Provérbios 31.24. O que a bela mulher de Deus está fazendo aqui?
- Analise Provérbios 31.10-31 e observe o número de referências (ou referências implícitas) ao trabalho de tecelagem.
- Agora examine sua vida. O que você adora fazer? Que "atividade pessoal" tem o potencial de tornar-se "atividade profissional"?
- Em que cada um destes elementos relacionados à criatividade mencionados a seguir pode contribuir para o desenvolvimento de suas habilidades?

– Vigilância
– Iniciativa
– Planejamento
– Trabalho árduo

- Quais são as três atitudes que você pode tomar esta semana para descobrir uma "atividade pessoal"?

Capítulo 18: Um Guarda-Roupa de Virtudes – Suas Vestimentas

- Leia Provérbios 31.25. O que você acha mais emocionante nesse versículo?
- Procure as palavras "força" e "dignidade" no dicionário. Escreva a definição de cada uma usando suas próprias palavras.
- Por que você acha que a bela mulher de Deus se alegrará no futuro? Como isso pode ser possível?
- Elabore um plano a longo prazo para fortalecer cada um destes aspectos de sua vida:

– Vida espiritual
– Vida financeira
– Saúde mental
– Vida profissional
– Vida familiar
– Saúde física
– Vida social

- O que você pode fazer hoje para melhorar cada uma dessas áreas da vida? Faça já!

Capítulo 19: Uma Instrução de Bondade – Suas Palavras

- Observe os dois elementos do belo discurso em Provérbios 31.26.
- Leia Tiago 3.1-12 e descreva o grande prejuízo que as palavras podem causar.
- Escolha Ana ou Abigail como exemplo e explique o que a vida dessa mulher ensina sobre o uso correto da "fala bondosa".

– Ana (1 Samuel 1.1-7) – Abigail (1 Samuel 25)

- Que outras mulheres da Bíblia seguiram as instruções de Deus para ter um discurso sábio e bondoso? Cite um exemplo ou dois, se puder.
- Pense por alguns instantes sobre a qualidade do que você fala. Em quais dos itens abaixo você se destaca? Quais os que necessitam ser aperfeiçoados?

– Discurso sábio e bondoso	– Pensar antes de falar
– Aguardar antes de falar	– Palavras doces
– Discurso persuasivo	– Não falar com muita freqüência

- A maneira como falamos passa a ser um hábito, e os hábitos podem ser mudados. O que você pode fazer hoje para melhorar seus pontos fracos? Não se esqueça de pedir a ajuda de Deus!

Capítulo 20: Um Olhar Atento – Sua Administração

- Memorize Provérbios 31.27. Escreva-o aqui.
- Que aspecto de sua casa, ou melhor, quem de sua casa necessita de zelo e de carinho?
- De que maneira sua casa se beneficia, ou se beneficiaria, com sua constante vigilância? Que problemas importantes sua supervisão poderia evitar? (Uma rápida análise das últimas semanas vai ajudá-la a responder à segunda pergunta.)
- O que os provérbios abaixo ensinam sobre comer o pão da preguiça e suas conseqüências?

– Provérbios 6.9-11	– Provérbios 10.4-5
– Provérbios 12.24	– Provérbios 19.15
– Provérbios 20.4	– Provérbios 26.14

- Provérbios 31.27 é uma descrição dividida em duas partes, metade positiva e metade negativa. Planeje algumas atitudes específicas que você poderá tomar para fortalecer o aspecto positivo (atender ao bom andamento da casa) e eliminar o negativo (comer o pão da preguiça). Apresente seu plano ao Senhor e permita que Ele o estabeleça (Provérbios 16.3).

Capítulo 21: Um Cálice de Bênçãos – Sua Família

- Leia novamente Provérbios 31.28. Que cena é retratada aqui? Quem está presente?
- Que instruções os seguintes versículos bíblicos transmitem às mães?

– Tito 2.4	– Provérbios 1.8

– Provérbios 22.6
– Provérbios 29.17
– Provérbios 31.27

- Descreva a mãe que está transmitindo o ensino sábio de Provérbios 31 ao filho.
- Descreva as atividades realizadas pela mãe mencionada em Provérbios 31.
- Se você é mãe, o que pode fazer por seus filhos hoje? E amanhã?
- Dedique a seus filhos todo o amor que você tem no coração – e faça isso de bom grado (Provérbios 31.13)!

Capítulo 22: Um Magnífico Coro Final – Seu Louvor

- Leia novamente Provérbios 31.28 e 29.
- "Muitas mulheres procedem virtuosamente", diz o marido da bela mulher aos olhos de Deus. Relacione algumas mulheres da Bíblia que procederam virtuosamente. O que elas fizeram? O que você vai fazer para seguir os passos delas?
- Analise novamente Provérbios 31.10-31, observando a virtude dominante em cada versículo e como o marido da mulher de Provérbios 31 foi beneficiado com cada uma.
- Peça a Deus que fortaleça suas virtudes

– Como mulher
– Como dona-de-casa
– Como mãe
– Como esposa

Capítulo 23: Um Espírito Reverente – Sua Fé

- Leia novamente Provérbios 31.30. Anote a advertência e a exortação.
- Procure as palavras "graça" e "formosura" no dicionário. Escreva a definição de cada uma com suas palavras.
- Quais são os maus usos da palavra "graça" [ou "sedução"] descritos nos versículos abaixo?

– Provérbios 21.6
– Provérbios 5.3
– Provérbios 7.21

- Como você explicaria "o temor ao Senhor" a alguém?
- Que explicações estes Provérbios fornecem sobre "o temor ao Senhor"?

– Provérbios 1.7
– Provérbios 8.13
– Provérbios 9.10
– Provérbios 15.33
– Provérbios 22.4
– Provérbios 31.30

- Por que o tempo passado na presença do Senhor aumenta sua beleza? O que você vai fazer para passar mais tempo com Ele, contemplando a beleza da sua santidade (Salmo 27.4)?
- Leia neste momento a oração contida no "Um convite à beleza" deste capítulo. Você pode dizer com toda a certeza que Jesus Cristo é seu Salvador pessoal?

Capítulo 24: A Colheita de uma Vida Inteira – Sua Recompensa

- Leia a palavra final de Deus sobre a beleza em Provérbios 31.31 e observe os dois mandamentos.
- Pense em tudo o que a bela mulher aos olhos de Deus realizou. O que mais impressiona você em cada coisa que ela realizou?
- Que mensagem os Provérbios abaixo oferecem a seu coração – e a suas mãos – sobre a beleza e o valor do trabalho árduo?

– Provérbios 14.23
– Provérbios 27.18
– Provérbios 28.19
– Provérbios 31.13
– Provérbios 31.31

- O que o estudo da mulher que é bela aos olhos de Deus mostrou a você sobre os propósitos que Ele tem para sua vida? Reserve alguns minutos para expressar seus pensamentos e convicções por escrito e, em seguida, apresente uma oração sincera de louvor a Deus e um comprometimento com os planos dele.

Notas

Capítulo 1

1. C. F. Keil & F. Delitzsch, *Commentary on the Old Testament,* Grand Rapids, MI: Willliam B. Eerdmans Publishing Company, 1975, v. 6, p. 327.
2. James Strong, *Exhaustive Concordance of the Bible*, Nashville: Abingdon Press, 1973, p. 39.
3. Edith Schaeffer, *Common Sense Christian Living*, Nashville: Thomas Nelson Publishers, 1983, p. 108.

Capítulo 2

1. Curtis Vaughan (ed.), *The Old Testament Books of Poetry from 26 Translations* – The Bible in Basic English, Grand Rapids, MI: Zondervan Bible Publishers, 1973, p. 629.
2. Curtis Vaughan (ed.), *The Old Testament Books of Poetry from 26 Translations* – The American Standard Version, p. 629.
3. *The Encyclopedia Americana, Volume 23*, Nova York: Americana Corporation, 1958, p. 750.
4. Curtis Vaughan (ed.), *The Old Testament Books of Poetry from 26 Translations* – New American Bible, p. 630.
5. *The Encyclopedia Americana, Volume 21*, p. 454-6.
6. Curtis Vaughan (ed.), *The Old Testament Books of Poetry from 26 Translations* – Rotherham, p. 629.
7. *The Encyclopedia Americana, Volume* 7, p. 676-677.
8. *Our Daily Bread,* Radio Bible Class Ministries, Grand Rapids, MI, maio 1982.

Capítulo 3

1. Cheryl Julia Dunn, *A Study of Proverbs*, Biola University, 1993, p. 27 (tese de mestrado).
2. Cheryl Julia Dunn, *A Study of Proverbs 31.10-31*, p. 27.
3. Cheryl Julia Dunn, *A Study of Proverbs 31.10-31*, p. 25-6.
4. Curtis Vaughan (ed.), *The Old Testament Books of Poetry from 26 Translations* – The Bible in Basic English, Grand Rapids, MI: Zondervan Bible Publishers, 1973, p. 629-30.

Capítulo 4

1. *"Building Your Nest Egg"*, de Deborah Adamson, *Los Angeles Daily News*, 20 abr. 1997.
2. Cheryl Julia Dunn, *A Study of Proverbs*, Biola University, 1993, p. 25 (tese de mestrado).
3. Barbara Gilder Quint, *Family Circle*, 29 maio 1984. (Condensado no *Reader's Digest*.)

Capítulo 5

1. Merrill F. Unger, *Unger's Bible Dictionary*, Chicago: Moody Press, 1972, p. 313.
2. Cheryl Julia Dunn, *A Study of Proverbs*, Biola University, 1993, p. 31 (tese de mestrado).
3. Robert L. Alden, *Proverbs, A Commentary on an Ancient Book of Timeless Advise*, Grand Rapids, MI: Baker Book House, 1990, p. 220.
4. Sra. Charles E. Cowman, *Streams in the Desert,* Grand Rapids, MI: Zondervan Publishing House, data da publicação original 1925, reeditado em 1965 e 1966 respectivamente, *Volumes* 1 e 2.
5. Ray Beeson e Ranelda Mack Hunsicker, *The Hidden Price of Greatness*, Wheaton, IL: Tyndale House Publishers, Inc., 1991, p. 97-107.
6. Anne Ortlund, *Building a Great Marriage*, Old Tappan, NJ: Fleming H. Revell Company, 1984, página ignorada. (Oração escrita por Temple Gairdner, missionário e estudioso escocês do século 19.)

Capítulo 6

1. James M. Freeman, *Manners and Customs of the Bible*, Plainfield, NJ: Logos International, 1972, p. 198.
2. W. O. E. Oesterley, *The Book of Proverbs*, Londres: Methuen and Company, Ltd., 1929, p. 284.
3. C. F. Keil e F. Delitzsch, *Commentary on the Old Testament*, Grand Rapids, MI: William B. Eerdmans Publishing Company, 1975, v. 6, p. 329.
4. Fred H. Wight, *Manners and Customs of Bible Lands*, Chicago: Moody Press, 1978, p. 83.
5. G. M. Mackie, *Bible Manners and Customs*, Old Tappan, NJ: Fleming H. Revell Company, data não fornecida, p. 59.
6. Cheryl Julia Dunn, *A Study of Proverbs*, Biola University, 1993, p. 38 (tese de mestrado).
7. G. M. Mackie, *Bible Manners and Customs*, p. 667.
8. Ibid.
9. Thomas Kinkade, *Simpler Times*, Eugene, OR: Harvest House Publishers, 1996, p. 69.
10. Edith Schaeffer, *Common Sense Christian Living*, Nashville: Thomas Nelson Publishers, 1983, p. 88-9.

Capítulo 7

1. Curtis Vaughan (ed.), *The Old Testament Books of Poetry from 26 Translations* – Lamsa, Grand Rapids, MI: Zondervan Bible Publishers, 1973, p. 630.
2. Gene Getz, *The Measure of a Woman*, Glendale, CA: Regal Books, 1977, p. 125.
3. Elizabeth George, *Loving God with All Your Mind*, Eugene, OR: Harvest House Publishers, 1994.

Capítulo 8

1. Curtis Vaughan (ed.), *The Old Testament Books of Poetry from 26 Translations* – Lamsa, Grand Rapids, MI: Zondervan Bible Publishers, 1973, p. 630.
2. James M. Freeman, *Manners and Customs of the Bible*, Plainfield, NJ: Logos International, 1972, p. 50.

3. G. M. Mackie, *Bible Manners and Customs*, Old Tappan, NJ: Flemming H. Revell Company, data não fornecida, p. 99.
4. Cheryl Julia Dunn, *A Study of Proverbs*, Biola University, 1993, p. 52-3 (tese de mestrado).
5. Cheryl Julia Dunn, *A Study of Proverbs 31.10-31*, p. 51-3.
6. Cheryl Julia Dunn, *A Study of Proverbs 31.10-31*, p. 51.
7. Ibid.
8. Cheryl Julia Dunn, *A Study of Proverbs 31.10-31*, p. 51-2.
9. Lucinda Secrest McDowell, "This I Carry with Me Always", *Christian Parenting Today*, maio/jun. de 1993, p. 22-3.
10. Alan Lakein, *How to Get Control of Your Time and Your Life*, Nova York: Signet Books, 1974, p. 46.
11. Edwin C. Bliss, *Getting Things Done*, Nova York: Charles Scribner's Sons, 1976, p. 148-9.

Capítulo 9

1. *Webster's New Collegiate Dictionary*, Springfield, MA: G. & C. Merriam Co., Publishers, 1961, p. 954.
2. Robert L. Alden, *Proverbs, A Commentary on an Ancient Book of Timeless Advise*, Grand Rapids, MI: Baker Book House, 1990, p. 220.
3. C. F. Keil e F. Delitzsch, *Commentary on the Old Testament*, Grand Rapids, MI: William B. Eerdmans Publishing Company, 1975, *Volume* 6, p. 330.
4. Crawford H. Toy, *A Critical and Exegetical Commentary on the Book of Proverbs*, Edinburgh: T. & T. Clark, 1899, p. 544.
5. Cheryl Julia Dunn, *A Study of Proverbs*, Biola University, 1993, p. 58-9 (tese de mestrado).
6. *The Living Bible: Paraphrased*, de Kenneth Taylor, Wheaton, IL: Tyndale House Publishers, 1971.
7. Edith Schaeffer, *Hidden Art*, Wheaton, IL: Tyndale House Publishers, 1971.

Capítulo 10

1. Crawford H. Toy, *A Critical and Exegetical Commentary on the Book of Proverbs*, Edinburgh: T. & T. Clark, 1899, p. 544.

2. William McKane, *Proverbs, A New Approach*, Filadélfia: The Westminster Press, 1970, p. 668.
3. Cheryl Julia Dunn, *A Study of Proverbs*, Biola University, 1993, p. 64 (tese de mestrado).
4. Ibid.
5. Cheryl Julia Dun, *A Study of Proverbs 31.10-31*, p. 63-5.
6. Curtis Vaughan (ed.), *The Old Testament Books of Poetry from 26 Translations* – Knox, Grand Rapids, MI: Zondervan Bible Publishers, 1973, p. 630.
7. Sir Alexander Paterson, *United Evangelical Action*, outono de 1975, p. 27.
8. *You*, de Mac-Sim-Ology.

Capítulo 11

1. William McKane, *Proverbs, A New Approach*, Filadélfia: The Westminster Press, 1970, p. 668.
2. Ted W. Engstrom, *The Pursuit of Excellence*, Grand Rapids, MI: Zondervan Publishing House, 1982, p. 36.

Capítulo 12

1. C. F. Keil e F. Delitzsch, *Commentary on the Old Testament*, Grand Rapids, MI: William B. Eerdmans Publishing Company, 1975, *Volume* 6, p. 332.
2. Sybil Stanton, *The 25 Hour Woman*, Old Tappan, NJ: Fleming H. Revell Company, 1986, p. 169.
3. Anne Ortlund, *The Disciplines of the Beautiful Woman*, Waco, TX: Word, Incorporated, 1977, p. 66-7.
4. Ted W. Engstrom, *The Pursuit of Excellence*, Grand Rapids, MI: Zondervan Publishing House, 1982, p. 33.
5. Ruth Wagner Miller, "The Time Minder", *Christian Herald*, 1980, p. 76-7.
6. *A Woman's Love*, de Douglas Malloch.

Capítulo 13

1. Cheryl Julia Dunn, *A Study of Proverbs*, Biola University, 1993, p. 36 (tese de mestrado).

2. Barbara Keener Shenk, *The God of Sarah, Rebekah and Rachel,* Scottdale, PA: Herald Press, 1985, p. 127
3. Cheryl Julia Dunn, *A Study of Proverbs 31.10-31*, p. 85.
4. David Thomas, *Book of Proverbs Expository and Homiletical Commentary,* Grand Rapids, MI: Kregel Publications, 1982, p. 793.
5. Ibid.
6. Edith Schaeffer, *Hidden Art,* Wheaton, IL: Tyndale House Publishers, 1971, p. 128-32.
7. Stanley High, *Billy Graham,* Nova York: McGraw Hill, 1956, p. 127

Capítulo 14

1. C. F. Keil e F. Delitzsch, *Commentary on the Old Testament,* Grand Rapids, MI: William B. Eerdmans Publishing Company, 1975, *Volume* 6, p. 334.
2. William McKane, *Proverbs, A New Approach,* Filadélfia: The Westminster Press, 1970, p. 669.
3. C. F. Keil e F. Delitzsch, *Commentary on the Old Testament, Volume* 6, p. 335.
4. Crawford H. Toy, *The Book of Proverbs,* Edinburgh: T. & T. Clark, 1899, p. 545.
5. W. O. E. Oesterley, *The Book of Proverbs,* Londres: Methuen & Co., Ltd., 1929, p. 285.

Capítulo 15

1. Curtis Vaughan (ed.), *The Old Testament Books of Poetry from 26 Translations,* Grand Rapids, MI: Zondervan Bible Publishers, 1973, p. 631.
2. Curtis Vaughan (ed.), *The Old Testament Books of Poetry from 26 Translations* – The Jerusalem Bible, p. 631.
3. Cheryl Julia Dunn, *A Study of Proverbs,* Biola University, 1993, p. 101 (tese de mestrado).
4. Cheryl Julia Dunn, *A Study of Proverbs 31.10-31*, p. 102.
5. Robert L. Alden, *Proverbs, A Commentary on an Ancient Book of Timeless Advice,* Grand Rapids, MI: Baker Book House, 1990, p. 221.

6. Linda Dillow, *Creative Counterpart*, Nashville: Thomas Nelson, Inc., Publishers, 1977, p. 23.
7. Denis Waitley, *Seeds of Greatness*, Old Tappan, NJ: Fleming H. Revell Company, 1983, p. 77.

Capítulo 16

1. John MacArthur, *God's High Calling for Women*, Parte 4, Panorama City, CA: Word of Grace, GC-54-17, 1986.
2. George Lawson, *Proverbs*, Grand Rapids, MI: Kregel Publications, 1980, p. 883.
3. Donald Hunt, *Pondering the Proverbs*, Joplin, MO: College Press, 1974, p. 432.
4. William J. Peterson, *Martin Luther Had a Wife*, Wheaton, IL: Tyndale House Publishers, Inc., 1983, p. 34.
5. *The Amplified Bible*, Grand Rapids, MI: Zondervan Publishing House, 1970, p. 302.
6. Verna Birkey, *Seminar Workshops for Women*, 1979, p. 131 (P.O. Box 3039, Kent WA 98031).

Capítulo 17

1. "Martha Stewart, Inc.", *Los Angeles Times Magazine*, 2 ago. 1992.
2. "Lucrative Marriage of Class, Mass", *Los Angeles Times*, 15 abr. 1997.
3. "Martha Stewart, Inc."
4. Cheryl Julia Dunn, *A Study of Proverbs*, Biola University, 1993, p. 125 (tese de mestrado).
5. Elizabeth George, *Loving God with All Your Mind*, *God's Garden of Grace*, *A Woman After God's Own Heart*, Eugene, OR: Harvest House Publishers, 1994, 1996, 1997 respectivamente.
6. Edward H. Griggs.

Capítulo 18

1. Curtis Vaughan (ed.), *The Old Testament Books of Poetry from 26 Translations* – The American Standard Version, Grand Rapids, MI: Zondervan Bible Publishers, 1973, p. 632.

2. Cheryl Julia Dunn, *A Study of Proverbs*, Biola University, 1993, p. 126 (tese de mestrado).
3. Charles Caldwell-Ryrie, *The Ryrie Study Bible*, Chicago: Moody Press, 1978, p. 984.
4. Curtis Vaughan (ed.), *The Old Testament Books of Poetry from 26 Translations* – The American Standard Version, p. 632.
5. Ray e Anne Ortlund, *The Best Half of Life*, Glendale, CA: Regal Books, 1976, p. 88.
6. Stephen B. Douglass, *Managing Yourself*, San Bernardino, CA: Here's Life Publishers, Inc., 1978.
7. *Great Hymns of the Faith*, "Great Is Thy Faithfulness", de William M. Runyan, 1923.
8. Elizabeth George, *Loving God with All Your Mind*, Eugene, OR: Harvest House Publishers, 1994.
9. Abigail Van Buren, "Dear Abby", *Los Angeles Times*, 1º jan. 1995.

Capítulo 19

1. Curtis Vaughan (ed.), *The Old Testament Books of Poetry from 26 Translations* – The American Standard Version (Grand Rapids, MI: Zondervan Bible Publishers, 1973, p. 632.
2. Charles Caldwell Ryrie, *The Ryrie Study Bible*, Chicago: Moody Press, 1978, p. 938.
3. Cheryl Julia Dunn, *A Study of Proverbs*, Biola University, 1993, p. 139 (tese de mestrado).
4. H. D. M. Spence e Joseph S. Exell, eds., *The Pulpit Commentary*, Grand Rapids, MI: William B. Eerdmans Publishing Company, 1978, *Volume* 9, p. 601.
5. Cheryl Julia Dunn, *A Study of Proverbs 31.10-31*, p. 139.
6. *Life Application Bible*, Wheaton, IL: Tyndale House Publishers, 1988, p. 449.
7. Elizabeth George, *Uma Mulher Segundo o Coração de Deus*, São Paulo, SP. Editora United Press, 2000.
8. William MacDonald, *Enjoying the Proverbs*, Kansas City, KS: Walterick Publishers, 1982, p. 86.

9. William MacDonald, *Enjoying the Proverbs*, p. 99.
10. Curtis Vaughan (ed.), *The Old Testament Books of Poetry from 26 Translations* – The American Standard Version, Grand Rapids, MI: Zondervan Bible Publishers, 1973, p. 632.

Capítulo 20

1. Merrill C. Tenney (ed.), *The Zondervan Pictorial Encyclopedia of the Bible,* Grand Rapids, MI: Zondervan Publishing House, 1975, *Volume* 5, p. 901-2.
2. Cheryl Julia Dunn, *A Study of Proverbs*, Biola University, 1993, p. 144 (tese de mestrado).
3. Willliam McKane, *Proverbs, A New Approach*, Filadélfia: The Westminster Press, 1970, p. 670.
4. Derek Kidner, *The Proverbs*, Downers Grove, IL: Inter-Varsity Press, 1973, p. 71.
5. Cheryl Julia Dunn, *A Study of Proverbs 31.10-31*, p. 144.
6. Curtis Vaughan (ed.), *The Old Testament Books of Poetry from 26 Translations* – Knox, Grand Rapids, MI: Zondervan Bible Publishers, 1973, p. 632.
7. Curtis Vaughan (ed.), *The Old Testament Books of Poetry from 26 Translations* – Taylor, p. 632.
8. Edith Schaeffer, *What Is a Family?*, Old Tappan, NJ: Fleming H. Revell Company, 1975, p. 77.
9. Sra. Isabella Beeton, *Beeton's Book of Household Management*, Londres: Chancellor Press, 1861.
10. Autor desconhecido

Capítulo 21

1. Abraham Cohen, *Proverbs: Hebrew Text and English Translations with an Introduction and Commentary*, Hindhead, Surrey: The Soncino Press, 1945, p. 214.
2. Ibid.
3. C. F. Keil e F. Delitzsch, *Commentary on the Old Testament,* Grand Rapids, MI: William B. Eerdmans Publishing Company, 1975, *Volume* 6, p. 340.

4. W. O. E. Oesterley, *The Book of Proverbs*, Londres: Methuen and Company, Ltd., 1929, p. 286.
5. Elisabeth Elliot, *The Shaping of a Christian Family*, Nashville: Thomas Nelson Publishers, 1992, p. 201.
6. Edith Schaeffer, *What Is a Family?*, Old Tappan, NJ: Fleming H. Revell Company, 1975, p. 121.
7. E. Schuyler English, *Ordained of the Lord*, Neptune, NJ: Loizeaux Brothers, 1976, p. 35.
8. Elizabeth George, *Uma Mulher Segundo o Coração de Deus*, São Paulo, SP. Editora United Press, 2000.
9. Edith Schaeffer, *What Is a Family?*, p. 92.
10. Vonette Zachary Bright (ed.), *The Greatest Lesson I've Ever Learned*, San Bernardino, CA: Here's Life Publishers, Inc., 1991, p. 182.

Capítulo 22

1. Robert Gilmour LeTourneau, *Mover of Men and Mountains*, Englewood Cliffs, NJ: Prentice-Hall, 1960, p. desconhecida.
2. Curtis Vaughan (ed.), *The Old Testament Books of Poetry from 26 Translations*, Grand Rapids, MI: Zondervan Bible Publishers, 1973, p. 632-33.
3. Cheryl Julia Dunn, *A Study of Proverbs*, Biola University, 1993, p. 163 (tese de mestrado).
4. Kenneth Taylor, *The Living Bible*, Wheaton, IL: Tyndale House Publishers, 1971.
5. Ibid.
6. Charles Bridges, rev. por George F. Santa, *A Modern Study in the Book of Proverbs*, Milford, MI: Mott Media, 1978, p. 161.
7. Ralph Wardlaw, *Lectures on the Book of Proverbs*, Minneapolis, MN: Klock & Klock Christian Publishers, Inc., 1982, reedição, *Volume* 3, p. 310-1.
8. Fred H. Wight, *Manners and Customs of Bible Lands,* Chicago: Moody Press, 1953, p. 130.

Capítulo 23

1. Anne Ortlund, *The Disciplines of the Beautiful Woman*, Waco, TX: Word Books, 1977, p. 46.

Capítulo 24

1. W. O. E. Oesterley, *The Book of Proverbs*, Londres: Methuen & Company, Ltd., 1929, p. 283.
2. Judy Hubbell, *Messenger*, nov. 1975, p. 31.
3. Cheryl Julia Dunn, *A Study of Proverbs*, Biola University, 1993, p. 171 (tese de mestrado).

Bibliografia

ALDEN, Robert L. *Proverbs: A Commentary on an Ancient Book of Timeless Advice*. Grand Rapids, MI: Baker Book House, 1983.

ARNOT, William. *Studies in Proverbs: Laws from Heaven for Life on Earth*. Grand Rapids, MI: Kregel Publications, 1978.

DUNN, Cheryl Julia. *A Study of Proverbs 31.10-31*. Tese de mestrado. Biola University, 1993.

EXELL, Joseph S. *Proverbs, The Biblical Illustrator*. Grand Rapids, MI: Baker Book House, 1957.

HUNT, Donald. *Pondering the Proverbs*. Joplin, MO: College Press, 1974.

IRONSIDE, H. A. *Notes on the Book of Proverbs*. Nova York: Loizeaux Brothers, 1952.

JAMIESON, Robert, A. R. Fausset e BROWN, David. *Commentary Practical and Explanatory on the Whole Bible*. Grand Rapids, MI: Zondervan Publishing House, 1973.

KARSSEN, Gien. *The Best of All*. Colorado Springs: NavPress, 1984.

KEIL, C. F. e DELITZSCH, F. *Commentary on the Old Testament – Vol. 6*. Grand Rapids, MI: William B. Eerdmans Publishing Company, 1975.

KIDNER, Derek. *The Proverbs*. The Tyndale Old Testament Commentaries, Londres: Inter-Varsity Press, 1973.

LAWSON, George. *Proverbs*. Grand Rapids, MI: Kregel Publications, 1980.

MacDONALD, William. *Enjoying the Proverbs*. Kansas City, KS: Walterick Publishers, 1965.

MCKANE, William. *Proverbs: A New Approach*. Filadélfia: The Westminster Press, 1970.

MUFFET, Peter. *A Commentary on the Whole Book of Proverbs*. Edinburgh: James Nichol, c. 1594.

OESTERLEY, W. O. E. *The Book of Proverbs with Introduction and Notes*. Londres: Methuen & Co., Ltd., 1929.

PFEIFFER, Charles F. e HARRISON, Everett F. *The Wycliffe Bible Commentary*. Chicago: Moody Press, 1973.

SANTA, George F. *A Modern Study in the Book of Proverbs*: Clássico de Charles Bridges revisado para o leitor de hoje. Milford, MI: Mott Media, 1978.

SPENCE, H. D. M. e EXELL, Joseph S. *The Pulpit Commentary – Proverbs, Ecclesiastes, Song of Solomon*. Grand Rapids, MI: William B. Eerdmans Publishing Company, 1978, Volume 9.

STITZINGER, Jim. *Lecture Notes on Proverbs*. The Master's Seminary, 1997.

THOMAS, David. *Book of Proverbs, Expository and Homiletical Commentary*. Grand Rapids, MI: Kregel Publications, 1982.

TOY, Crawford H. *A Critical and Exegetical Commentary on the Book of Proverbs*, The International Critical Commentary. Edinburgh: T. & T. Clark, 1899.

WARDLAW, Ralph. *Lectures on The Book of Proverbs*. Minneapolis, MN: Klock & Klock Christian Publishers, Inc., reedição 1982. Volume 3.

WHYBRAY, R. N. *Proverbs, New Century Bible Commentary*. Grand Rapids, MI: William B. Eerdmans Publishing Company, 1994.

WOODCOCK, Eldon. *Proverbs, A Topical Study, Bible Study Commentary*. Grand Rapids, MI: Zondervan Publishing House, 1988.